沖縄　日本　アジア　世界

内なる民主主義２７

又吉康隆

目次

新型コロナ

次の内なる民主主義２８を出版するのは来年１月を予定している。うまくいけば１月に出版できるだろう。１月にはコロナ問題は終結している。国民はコロナ前の普の生活をしている。と書いておこう。コロナについては１月のことを予想できる。コロナは感染症である。コロナ感染の特徴を知り、どんな対策がいいかを知り、どのように

新型コロナ

終息するかが分かっていればコロナ感染の流れは簡単に分かるものである。
９月末には菅首相から新しい首相に代わるが、コロナ対策に変わりはない。収束に向かってレールはしっかりと敷かれているからだ。

　内なる民主主義２３からコロナ感染について書いてきたが来年は書かなくなるだろう。

内なる民主主義２３(２０２０年５月発売)
　新型コロナウイルス対策は世界で日本が一番優れている

内なる民主主義２４(２０２０年９月発売)
・新型コロナ対策に失敗するはずなのに成功した不思議な国ニッポン
・コロナ対策に成功しているのにそれを自覚しない不思議な国ニッポン
・新型コロナ対策に成功したことを説明できない不思議な国ニッポン

内なる民主主義２５(２０２１年１月発売)
・菅政権への感染専門家・医師会・マスメディアの無知な圧力
・日本のコロナ感染が少ない決定的な理由
・欧州が日本のクラスター対策をしていれば感染は半減していた

内なる民主主義２６(２０２１年７月発売)
　東京五輪は開催し成功して終わる　当たり前のことだ

5月25日

オリンピックは確実に開催する その流れは間違いない

ＩＯＣのジョン・コーツ調整委員長（７１）が緊急事態宣言下でもオリンピックを開催すると断言した。感染症の専門家の間では緊急事態宣言下では東京五輪の開催は難しいという声が圧倒的である。

競技会場の周辺に住む人々は、「危ないから緊急事態宣言では延期するべき」、「開催が前提で話されているのかなって。開催できるっていう論理上のことがあるんでしょう」、「本当に、こちらの状況とかかわったうえで発言しているのか、疑問に思う」などと、オリンピック反対する声が多い。

緊急事態宣言下でのオリンピック開催は無理だと感染症専門家もマスメディアも多くの国民も思っている。ところがそんな考えを覆すことが東京で起こっている。

東京は現在緊急事態宣言をしている。床面積が１０００平方メートルを超える大型商業施設は２０時までの時短営業。酒類の提供やカラオケ設備を有する遊興施設および飲食店に対しては休業、客による酒の持ち込み制限などの規制をしている。オリンピックと関係するのが観客である。都は観客をゼロにするように規制はしていない。イベントを開催する時には、観客の上限を５０００人かつ収容率５０％以下にするように規制し、２１時までの開催を許可している。上限を５０００人かつ収容率５０％以下であれば観客を許可しているのが東京都の緊急事態宣言であるのだ。この規制を守って観客を入れているのがプロ野球・サッカー・大相撲である。毎日テレビで放映しているから多くの国民がこの事実を知っている。今のところ観客を入れているプロ野球・サッカー・大相撲でコロナ感染のクラスターが発生した報告はない。マスメディアが観客を入れていることに対して問題にした記事もない。オリンピック中止を主張する理由に観客のコロナ感染がある。オリンピック中止を主張する専門家やジャーナリストであればプロ野球・サッカー・大相撲の有観客に反対するはずである。観客を入れるリスクはオリンピックも同じであるからだ。しかし、観客許可に反対する記事が載ったことはない。ということは黙認しているということになる。

「プロ野球・サッカー・大相撲の観客は容認し、オリンピックの観客には反対するというのは矛盾している。プロ野球・サッカー・大相撲の観客を参考にある。オリンピックの時はどうなるのかを議論するべきである。ただ議論すればするほどオリンピックの観客がコロナ感染しないことを認めることになる。


「コロナから国民を守る」ためにオリンピック中止を主張するならプロ野球・サッカー・大相撲の観客動員にも反対するべきである。しかし、反対の声は全然ない。というよりプロ野球・サッカー・大相撲のことは一切取り上げないのがオリンピック中止派である。不都合な真実は隠す。それが共産党を中心とした左翼とマスメディアの得意技である。しかし、嘘にくるまれたこの得意技は次第にしぼんでいく運命にある。これからはしぼんでいく。


盛り上がってきたオリンピック中止運動はオリンピックが近づくとじわりじわりしぼんできた。

「オリンピックになれば海外からコロナが入ってくる」は選手・スタッフがワクチン接種することになったから言えなくなった。

「オリンピックになればコロナ感染が広がる」は選手スタッフのワクチン接種、プロ野球、サッカー、大相撲の観客がコロナ感染していないから言えなくなってきた。


5月末までとしていた非常事態宣言は延長する可能性が出てきた。延長するべきである。もし、5月で宣言を解除したら、オリンピックまでの50日間でコロナ感染が再拡大する可能性は高い。いや確実に拡大する。拡大させないためには緊急事態宣言の延長が一番効果がある。緊急事態宣言延長によってコロナ感染を減少させ、ステージ2までにすればオリパラ中止の声は確実にしぼんでいくだろう。オリパラ開催地である東京都は開催ぎりぎりまで緊急事態宣言を続けたほうがいいと思う。

「緊急事態宣言が東京で出されているような状況であれば開催は難しい」と指摘する政府の分科会メンバーの専門家がいるが、緊急事態宣言延長で確実にコロナ感染者は減少しオリパラ前に解除され開催は難しくなくなるだろう。

マスメディアが何度も掲載したのが小池都知事が「五輪中止を言い出すのはいつか」である。小池都知事の本音は首相になることであると指摘するジャーナリストは少なからずいる。彼らはオリパラ反対の声が高まったのに乗じてオリパラ中止を宣言し、国民の指示を獲得して中央政権に殴り込み、支持率の低い菅首相に代わって政権を取る欲望があり、それが小池都知事の本音であるとまことしやかな記事を掲載してきた。

今日も、小池都知事はコロナ下での大会開催を明言しているが、政府関係者や大会関係者の間には「世論がさらに強硬になれば、中止を表明しかねない」との見方がくすぶる。「機を見るに敏」と言われてきた小池知事の心中はいかに・・・と、小池都知事のオリパラ中止宣言が迫ってきているような記事を掲載している。

小池知事がツイッターで、

「コロナを乗り越え、選手が最高のパフォーマンスを発揮できるよう、国、組織委と力を合わせて準備を推進します」と大会の開催をつぶやくと、

「オリンピックファースト。人命や人の生活なんか二の次、三の次」「五輪するために国民の自由を奪ってることに怒ってます」「直ちに開催中止を菅（義偉）総理に訴えるようお願いします！」「中止にするなら今のうちですよ」「そろそろ決断を」「中止最後の切り札」

と小池都知事がオリパラ中止に舵を取るように要求するコメントが殺到したと朝日新聞は掲載している。コメントをしたほとんどはオリパラ中止運動をしている左翼活動家であり、このような内容のコメントが殺到することを知っていた朝日新聞はコメントを集めて掲載したのである。

オリパラ開催への決意を表明した小池都知事の心が中止に変わることはあり得ないことである。変われば政治家としての信頼を一気に失うだろう。小池都知事がオリパラ中止を表明する可能性は最初からなかった。煙がない所に煙があるようにみせかけたのがマスメディアである。マスメディアの嘘を信じた読者は多かったかもしれないが、オリパラ開催に全力で取り組むこれからの小池都知事の姿を見ればマスメディアの嘘は剥がれ落ち誰も信じなくなるだろう。「五輪中止、言い出すのは小池氏？」の記事はこれからも出すのだろうか。こんな記事は誰も見向かなくなるだろう。左翼系市民以外は。

5月14日

「国民の命を守る」というマスメディアの欺瞞

先週の木曜日に狭心症で中頭病院に入院し、一昨日退院した。心臓の冠動脈6本が詰まり気味で、3本は治療した。残り3本は来月にやる。

5年前に脳出血で入院した。原因は糖尿病と高血圧だった。で血圧と糖尿病の薬を飲んできたが。3カ月前に糖尿病を克服し薬は飲まなくなった。次は高血圧を克服しようと思っていた時に狭心症になった。左の手首から管を挿入し直径わずか3ミリの血管に管を挿入して治療した。手術後に医者は映像をみせながら治療の説明をした。おもしろかった。映像のコピーをほしいと言ったら有料でくれた。しかし、映りがとても悪くて見れたものじゃない。

入院すると1日に3回以上も糖尿と血圧の検査をした。糖尿は薬を飲んでいないのに正常値だった。血圧は薬を飲んで80から90台であった。薬を飲まないで120台を維持できるかできないか・・・。高血圧も克服したいものだ。

新型コロナウイルスワクチンの高齢者向け接種が10日、多くの自治体でスタートした。政府は7月末までに接種完了を目標にすると宣言した。新型コロナは若者の方が感染者は多い。しかし、若者は感染しても軽いか無症状である。高齢者の場合は死亡率が高い。特に疾患のある高齢者の死亡率は高い。コロナ死亡者は60代以上が90%を超す。高齢者へのワクチン接種が終われば90%以上死亡率が改善されることが予測できる。コロナ感染死亡者が激減することは確実である。13日の死亡者は101人である。単純に考えて8月からは10人以下になるということである。日本は100人は多いほうであり、ほとんどは2桁のコロナ死者数であった。8月以後は確実に1桁になるだろう。

東京オリンピック開催は7月23日である。オリンピックまでに高齢者へのワクチン接種は100%には達していない予想になるが、90%以上には達しているだろう。

ワクチン接種が進んでいるイギリスでは高齢者のワクチン接種ほぼ100%に達している。

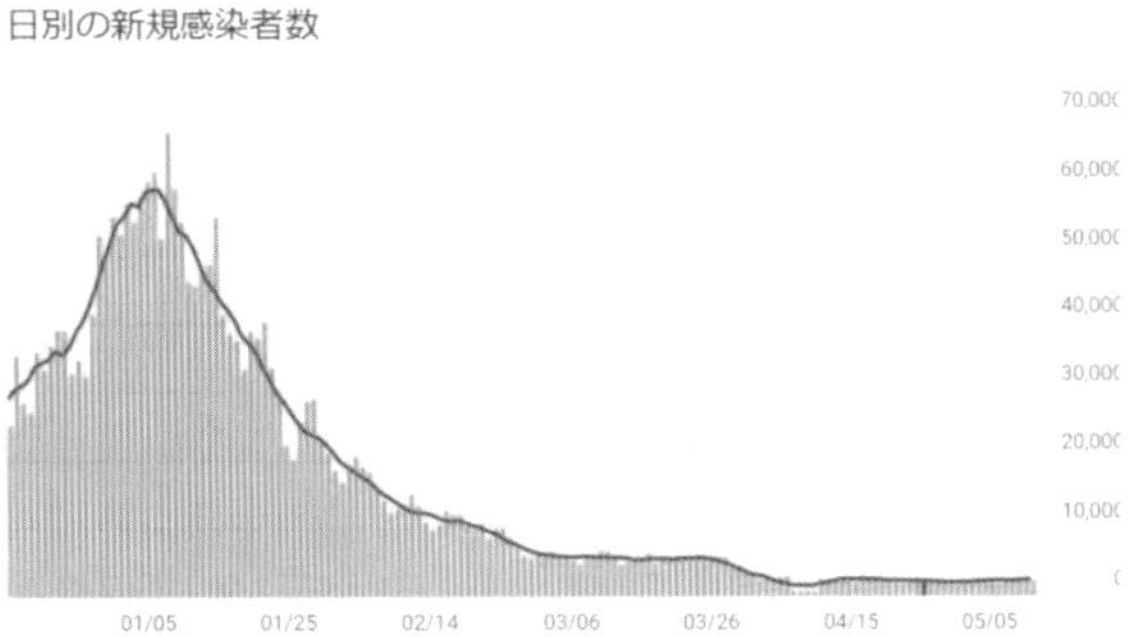

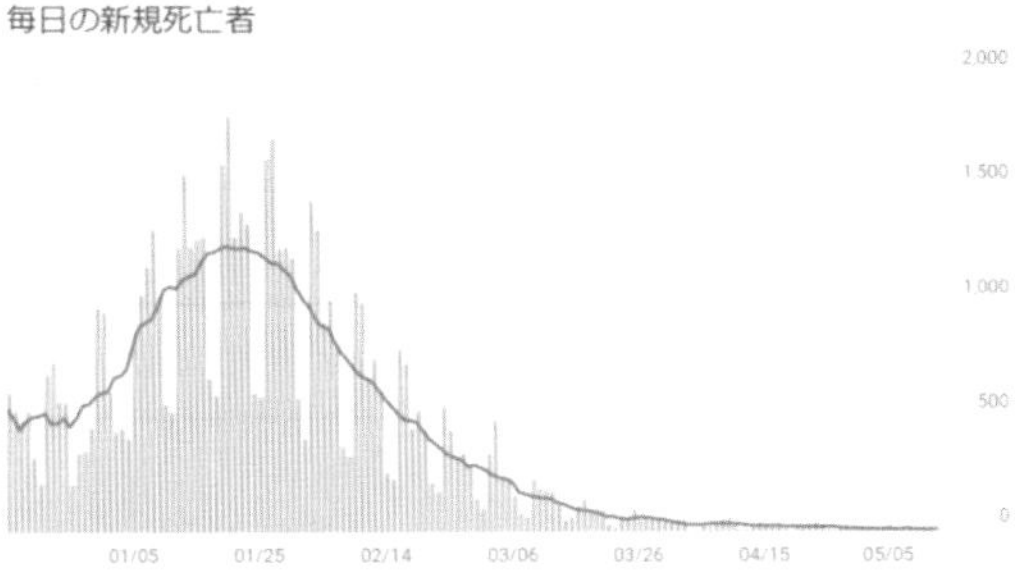

　１月には６万人台の感染者、死者は１０００人以上だったが、５月には感染者は２０００人以下になった。死者は１０人以下になっている。表の上を日本の高齢者の感染数、下を国民の死者数の参考にすれば高齢者へのワクチン接種によってコロナ死者が激減することは確実である。若者にコロナ感染が蔓延したとしても症状はインフルエンザよりも軽い。死者はほとんど出ない。

　ところがマスメディアと感染専門家は高齢者へのワクチン接種に期待するようなことを口にしない。菅政権がオリンピック開催を進めていることに対して死者数よりも感染者数を重視し続けてきたマスメディアが「国民の命より大事な五輪などない」と国民の命を重視して五輪中止を菅政権に要求した。コロナ感染の始まりから今までコロナの死者数を重視したことはほとんどないのがマスメディアと専門家である。インフルエンザ＋コロナの感染死者数は例年より少なかった。それが科学データである。死者数から見るとコロナ感染死者数は意外と少ない。特に乳幼児から６０歳までの死者は圧倒的に少ない。死者を減らすには高齢者へのワクチン接種を拡大することである。ところがマスメディア、専門家は感染拡大＝死者の増加と見なしている。それを根拠に政府がオリンピック開催を目指していることを国民の命よりオリンピックを優先していると政府を非難するのである。コロナ感染拡大を押さえてきたのは政府である。マスメディア、専門家ではない。そんな彼らが「国民の命」を主張するのには苦笑するしかない。高齢者ワクチン接種促進にマスメディア、専門家は声を上げるべきである。

5月29日

ワクチン接種が五輪中止より命を守る　五輪中止よりワクチン接種をと言えない日本マスメディア

私たちが注目するべきは6月20日まで延長される緊急事態宣言によるコロナ感染者の減少状態と高齢者へのワクチン接種の進展である。

緊急事態宣言によって徐々に感染者数は減っている。過去の緊急事態宣言から見て、コロナ感染者が1000人以下になる可能性は高い。

緊急事態宣言延長のもう一つの目的である医療ひっ迫の緩和は6月20日までに実現することを期待するし、かなり緩和されるだろう。

注目すべきことは緊急事態宣言は全国に実施したのではないことである。コロナ感染がひどい10都道府県だけに実施した。蔓延防止防止等重点措置の延長は5県である。48都道府県の15都道府県を国による新型コロナ対策の対象としたのである。33県は緊急事態宣言も蔓延防止防止もする必要がないほどにコロナ感染者は少ないということも注目するべきである。

緊急事態宣言10都道府県

北海道、東京、愛知、京都、大阪、兵庫、岡山、広島、福岡、沖縄

蔓延防止等重点措置

埼玉、千葉、神奈川、岐阜、三重、群馬、石川、熊本、　※解除　愛媛

8県のうち、埼玉、千葉、神奈川、岐阜、三重の5県の期限を6月20日に延長する方針を固めた。同月13日が期限の群馬、石川、熊本の3県に関しては変更しない。

23日時点のワクチン接種都道府県ランキングでは、1位が和歌山県である。先週に引き続きトップで17．4％の接種に達している。8位までは接種率10％を超えている。一気にランクアップした岡山県では、県内の市町村ならば、どこでもワクチン接種を受けられる仕組みを作り、かかりつけ医でなくても、出先で接種が可能である。ランキング1位の和歌山県にある和歌山市では、280の一般診療所が接種に協力している。かかりつけ医による接種

は、医師も高齢者もお互いのことが分かっているため安心で、スムーズに接種が行えるシステムにしている。また、休診日にも接種を行っていたり、内科にかぎらず、耳鼻科、産婦人科など、あらゆる診療科が協力している。

ワクチン接種の早い自治体は感染者、死者が少なくなるだろう。それが刺激になり他の都道府県も、効率のいい接種方法を行ってワクチン接種をスピードアップしていくだろう。確実に高齢者の感染と死者は減少していく。

政府もワクチン接種の拡大を工夫している。

厚生労働省は25日、米モデルナ製の新型コロナウイルスワクチンを大規模接種会場に加え、職場での接種にも活用する方針を明らかにした。職場での接種は、

〈1〉産業医らが社内の診療所で実施
〈2〉外部の機関に委託し、会議室などで実施
〈3〉提携する外部の医療機関で実施など様々なパターンを想定している。

複数企業が合同で実施したり、社外の施設を借りて接種したりするケースも認める方針である。モデルナのワクチンの活用が想定され、早ければ7月から接種が始まる見通しである。

報酬引き上げ

現在は医師が平日の日中に接種を行った場合、1回2070円の対価が支払われる。支援策では、これに加え、50回ごとに10万円前後を支払うほか、通常診療を取りやめて接種に充てた場合にも協力金を支給する方向だ。首相もこの日、「接種の費用を上乗せしてほしいという要望もある。しっかりと支援していきたい」と明言した。

新型コロナウイルスの接種会場にキャンパスを提供する意向を示している大学が、全国でおよそ30にのぼることがわかった。

政府は東京五輪・パラリンピックの大会期間中に五輪開催に伴う地域医療体制に与える影響への懸念を緩和する狙いで自衛隊の医官と看護官を投入する方向で検討している。

東京オリンピック・パラリンピックを見据えた官民連携の合同訓練が、サッカー競技が行われる横浜国際総合競技場で行われた。訓練には、県警や消防、民間の警備会社などあわせておよそ200人が参加

し、東京オリンピック・パラリンピックに向け、関係機関同士の連携を強めるとともに対応力の向上を目指した。

日本政府の新型コロナ対策について詳しく知っているのは日本マスメデァである。外国のマスメディアではない。菅政権が計画・実施しているコロナ対策を詳しく分析し、評価するのが日本マスメディアの任務である。そして、外国マスメディアの日本への判断が正しいか正しくないかを判断するのも日本マスメディアの重要な仕事である。と私は考える。

残念ながら日本マスメディアの現実はそうではない。外国マスメディアの日本批判をそのまま無批判に受け入れ、外国マスメディアの主張がすべて正しいと思わすような報道するのが日本マスメディアである。『本気で東京五輪を開催する気？』欧米で疑問報道が相次ぐ』を見てみよう。

英国駐在する日本人ジャーナリストは、「イギリス人たちに『東京五輪を本気で開催する気か？　日本はワクチン接種率が低いから、五輪どころではないだろう』とよく聞かれます」と明かした。

「英国は新型コロナウイルス対策で1月からロックダウンしていましたが、3月から小売店が約3カ月ぶりに営業を再開し、今月になって飲食店やパブも営業が解禁されるようになりました。ただそれが実現できたのもワクチン接種率の高さが大きな要因です。日本は7月末までに高齢者向けのワクチン接種を終了させ、9月末までに希望する全国民向けの量を確保するという方針ですが、あまりにも遅すぎる。全国民にワクチンが届く前に、世界中の人たちが集まる東京五輪を開催することを欧州の人達は理解できません」

「本気で東京五輪を開催する気？」欧米で疑問報道が相次ぐ

日本は一度もロックダウンはしていない。小売店を営業中止にしたこともない。ワクチンなしでもコロナ感染者が少ないのが日本である。ワクチン接種しているイギリスとワクチンなしの日本はコロナ感染率は同じである。欧州の人はこの事実を認識し、ワクチン無しの日本がコロナ感染者が少ない原因を知るべきである。

注目すべきはそれだけではない。日本のコロナ感染死者のほとんどは高齢者であるという事実も知るべきである。高齢者へのワクチン接種が拡大すればコロナ感染死者が激減するのは確実である。それが日本である。ワクチン接種率が低いというだけで日本のコロナ感染率は高いと決めつけるのは間違っている。

日本はワクチン接種が遅いのに東京五輪を開催することが欧州の人たちには理解できないというが、ワクチン無しでもクラスター潰しと緊急事態宣言でコロナ感染拡大を抑え込んだのが日本である。日本と違い欧州はロックダウンでもコロナ感染を押さえ込みに失敗した。結局はワクチン接種だけが唯一のコロナ対策になった。そんな欧州から見ればワクチン接種が遅れている日本が東京五輪を開催するのを理解できないだろう。理解できない原因は欧州の人は日本を理解していないからである。日本を理解できない欧州の人々が東京五輪開催に疑問を持つのは当然である。日本を理解できない欧州の人の意見が正しいとでもいうように無批判に垂れ流すのが日本マスメディアである。日本を理解していない日本マスメディアである。

五輪開催に世界中が疑問を抱く中、日本でも開催中止を望む声が日に日に高まっている。菅義偉首相は4月20日の衆院本会議で、「人類が新型コロナウイルスに打ち勝った証しとして（東京五輪を）実現する決意に何ら変わりはない」と述べたが、打ち勝ったと証明できないのが現状だ。十分な説明責任を果たさず国民が不安を抱いたまま、このまま五輪開催に突き進んでよいのだろうか。

「本気で東京五輪を開催する気？」欧米で疑問報道が相次ぐ」

日本でも開催中止を望む声が日に日に高まっているというのは嘘である。日に日にしぼんでいっているのが現在の日本である。国民の関心は五輪開催よりワクチン接種にあるからだ。日本マスメディアが五輪中止を主張する根拠は「国民の命を守る」ことにあった。五輪開催は国民の命を守らないと信じたから国民は五輪開催に反対した。しかし、事情が変わった。国民の命を守る第一は五輪中止ではなくワクチン接種にある。国民の命を守るのは五輪中止よりワクチン接種にあると国民は思うようになった。コロナ感染死者の９０％以上を占める高齢者にとって自分の命を守るためには一日も早いワクチン接種をすることだ。五輪なんてどうでもいいことだ。国民は五輪開催に賛成するか反対するかの関心から遠のいている。

五輪中止に関心が高いのは中止を主張し続けてきたマスメディアと活動家である。国民ではない。五輪中止にこだわっているから菅首相の発言を取り上げ「十分な説明責任を果たさず国民が不安を抱いたまま、このまま五輪開催に突き進んでよいのだろうか」と批判している。菅首相は高齢者へのワクチン接種を一日100万人を目指してワクチン接種のスピードアップを進めている。国民は菅首相の五輪に関する発言よりワクチン接種に関する発言に注目している。マスメディアが菅首相の五輪発言に対して批判をするのは国民の心には届かない。言葉の空回りをしているだけでなんの価値もない。

日本のマスメディアで注目することがある。外国の報道を垂れ流すことによって五輪中止の報道を強化していることである。。

○日本で新型コロナウイルスの感染者が収束しない状況を、世界各国は注視している。

○米国務省は24日、日本に対する渡航警戒レベルを4段階で最も厳しい「渡航中止の勧告」に引き上げた。

○「日本の現状を踏まえると、ワクチン接種を完了した旅行者でも変異種に感染したり広めたりする危険性がある」と警鐘を鳴らしている。

○ワシントン・ポスト(電子版)も5日のコラムで、日本政府に対し東京五輪を中止するよう促している。

○国際オリンピック委員会（ＩＯＣ）のバッハ会長を「ぼったくり男爵」と痛烈批判。五輪開催の目的は「カネ」と断じ、日本は「五輪中止で損切り」をすべき」と訴えた。

○ロサンゼルス・タイムズ電子版も18日、今夏の東京オリンピックについて「中止しなければならない」とする記事を掲載した。

外国のマスメディアと専門家のほとんどが東京五輪中止を主張している。これを読んだ国民は五輪中止は仕方がないと思わざるを得ないだろう。ただ、これは日本のマスメディアが世界の報道の中から集めた情報である。日本マスメディアの外国報道掲載の狙いは国民を五輪中止に賛成させることにある。

○ＵＳＯＰＣは渡航中止の勧告について、「五輪参加への影響はない」と声明を発表し、日本政府も開催のスタンスを変えていない。という記事を掲載したが、続けて、「ＵＳＯＰＣは立場上、五輪を中止にするとは言えないでしょう。常識的に考えれば、渡航中止の勧告が出ている国で２カ月後に五輪を開催するなど考えられない。政府も後に引けない状況で、答弁が苦しくなっている」と東京五輪開催を否定する文章を加えている。日本のマスメディアが東京五輪中止を主張するために外国の報道を利用しているのは明白である。

菅政権は緊急事態宣言の延長を決め、高齢者へのワクチン接種を加速化している。菅政権に外国報道の権威を利用しても五輪中止になんの影響も与えない。蝿のようにブンブンと菅政権の回りをうるさく飛んでいるだけである。

世論調査で五輪中止を６割以上にし、五輪反対の世論を盛り上げてきた日本マスメディアにとって菅政権のワクチン接種加速は五輪中止拡大が沈滞してしまう危機状態に陥った。

五輪を開催すればコロナ感染が蔓延して、死者が増える。だから「国民の命を守る」ために五輪を中止するというのがマスメディアの主張だった。

五輪中止が盛り上がっている中で高齢者へのワクチン接種が始まった。「国民の命を守る」を目的にするのならマスメディアもワクチン接種に賛成するべきである。しかし、ワクチン接種が拡大すればするほど感染者は減り、死者も減る。ワクチンが国民の命を守ることがはっきりしてくる。ワクチンで国民の命が守られれば五輪を中止する大義名分がなくなる。

「国民の命を守る」をアピールすることができなくなった日本マスメディアである。五輪開催を優先している菅首相は国民の命を粗末にしていると批判してきたがそれもできなくなった。

ワクチン接種が進んで元気が出た欧州の日本批判を掲載してお茶を濁しているのが今の日本マスメディアである。

6月16日

ひたすら菅首相批判にまい進するだけのジャーナリスト　菅首相批判が彼の商売である

　イギリスのワクチン接種は進み、感染者と死者が激減した。しかし、日本のマスメディアはこのことを報じないだろうとブログに書いた。するとブログ掲載の翌日にイギリスのコロナ感染について書いたコラムがあった。しかし、コラムはワクチン接種によって感染者、死者が激減したことに注目するものではなかった。菅首相を批判するためにイギリスを利用しただけであった。予想通りである。やはり日本のマスメディアは感染者と死者が激減したことについては書かない。書くはずがない。改めてそのことがはっきりしたコラムだった。

　コラムの題名は「イギリスが感染再燃で正常化を先送りなのに、G7参加の菅首相は『五輪開催』宣言」である。コロナ感染が激減したイギリスでも感染が再燃したために正常化を先送りしたのに、菅首相は「五輪開催」を発言した。現実を無視して五輪開催に走っている菅首相だと批判するのである。書いたのは木村正人（国際ジャーナリスト）である。

　木村氏はイギリスの感染者、死者が激減した原因はワクチン接種が進んだからとワクチン接種に注目したのではなかった。ワクチンの1回目接種を成人は人口の78％、2回目接種を55．4％が済ませのに、直近の一週間で感染者は増え、専門家は政府にロックダウン完全解除の延期を求めていることに木村氏は注目したのである。ワクチン接種が進んだイギリスでさえ、再び感染者が増加し、完全解除延期をしようとしているのに菅首相はオリンピック開催に向かっていると批判したのである。

　確かにイギリスで感染者は1500人台まで激減したが最近は感染者が増え7500人台になった。専門家は完全解除の延期を求め、ジョンソン英首相も、新型コロナウイルス変異株「デルタ」の感染増加に「深刻な懸念」を表明し、ロックダウンの完全解除について延期する考えを示唆した。木村氏は専門家がロックダウンの完全解除を延期するように求めたことを強調して、菅首相の批判を展開したのだ。でもロックダウンの完全解除は一カ月延長するだけであり、中止ではない。一か月後には完全解除する。木村氏はこのことは書かない。

ジョンソン首相は、

「7月19日までに成人人口の3分の2が2回の接種を完了するようにします」と述べ、3分の2のワクチン接種を実現してロックダウンを完全解除すると宣言したのである。だからロックダウンは解除できないのではなくワクチン接種を進めて解除できるのである。解除にはワクチン接種が大きな存在であるのだ。日本も同じである。

8月の末には高齢者のワクチン接種は終わると菅首相は宣言し、ワクチン接種をどんどん進めている。このまま進めば、オリンピックが始まる前に高齢者のワクチン接種は3分の2以上に達するはずだ。ジョンソン首相の言葉を借りれば、オリンピック前に日本の高齢者のコロナ感染は激減するということだ。イギリスのコロナ感染が急拡大していることを取り上げた木村氏はワクチン接触が進めば感染者は激減することについては絶対に書かない。なぜなら、菅首相批判ができなくなるからだ。

木村氏は次に五輪開催反対理由を展開する。

アフリカなど途上国のワクチン接種は1%しか進んでいないのに途上国のワクチン接種より選手村優先は差別であり疑問というのである。オリパラ用のワクチンは10万余である。途上国に必要なワクチンは何億である。オリパラワクチン接種を途上国差別というのはひどいこじつけである。

朝日新聞の世論調査では東京五輪の「中止」を求める声は43%、「再延期」が40%にのぼり、80%以上の国民が五輪開催に反対している。今夏に開催は14%にとどまっているから五輪中止せよと木村氏はいう。五輪を開催すれば多くの国民の命が失われるというマスメディアのでっち上げに国民が騙されているからこのような世論になっているのだ。国民の誤解は次第に解けていくだろう。確実に。

木村氏は政治と科学、政府と専門家の溝はどんどん広がっていると述べ、「五輪開催」という菅首相の政治決断に「安心安全」を支える科学的根拠は一体どれぐらい含まれているのだろうかと批判しているが、木村氏は菅首相を批判するための都合のいい情報だけを取り上げているだけである。菅首相批判が先にあり、批判するための情報だけを集めている木村氏である。菅首相批判をすればマスメディアが彼の原稿を買う。菅首相批判が彼の商売である。

6月12日

感染者7958人しかし死者7人の英国の事実を知らせない日本マスメディア

表はイギリスの感染者数である。10日の感染者は7958人であり、一週間の平均は7117人である。下の表は死者数である。10日の死者は7人であり、一週間の平均も7人である。現在のイギリスのワクチン接種率は70%であるが、死者はワクチン接種50%を超えた4月から激減している。現在感染者は拡大傾向にあるが死者は一桁台が続いている。ワクチン接種は確実に死者を激減させることがイギリスで判明している。

日本のマスメディアはイギリスのコロナ死者が激減したことに注目しない。むしろ無視している。他方、インド株がイギリスで増えて、感染者が増えたことは報道している。ジョンソン英首相は、インドで初めて確認された新型コロナウイルス変異株「デルタ」の感染が国内で拡大していることを受け、ロックダウン（都市封鎖）解除を7月19日に先延ばしする見通しであることを報じている。

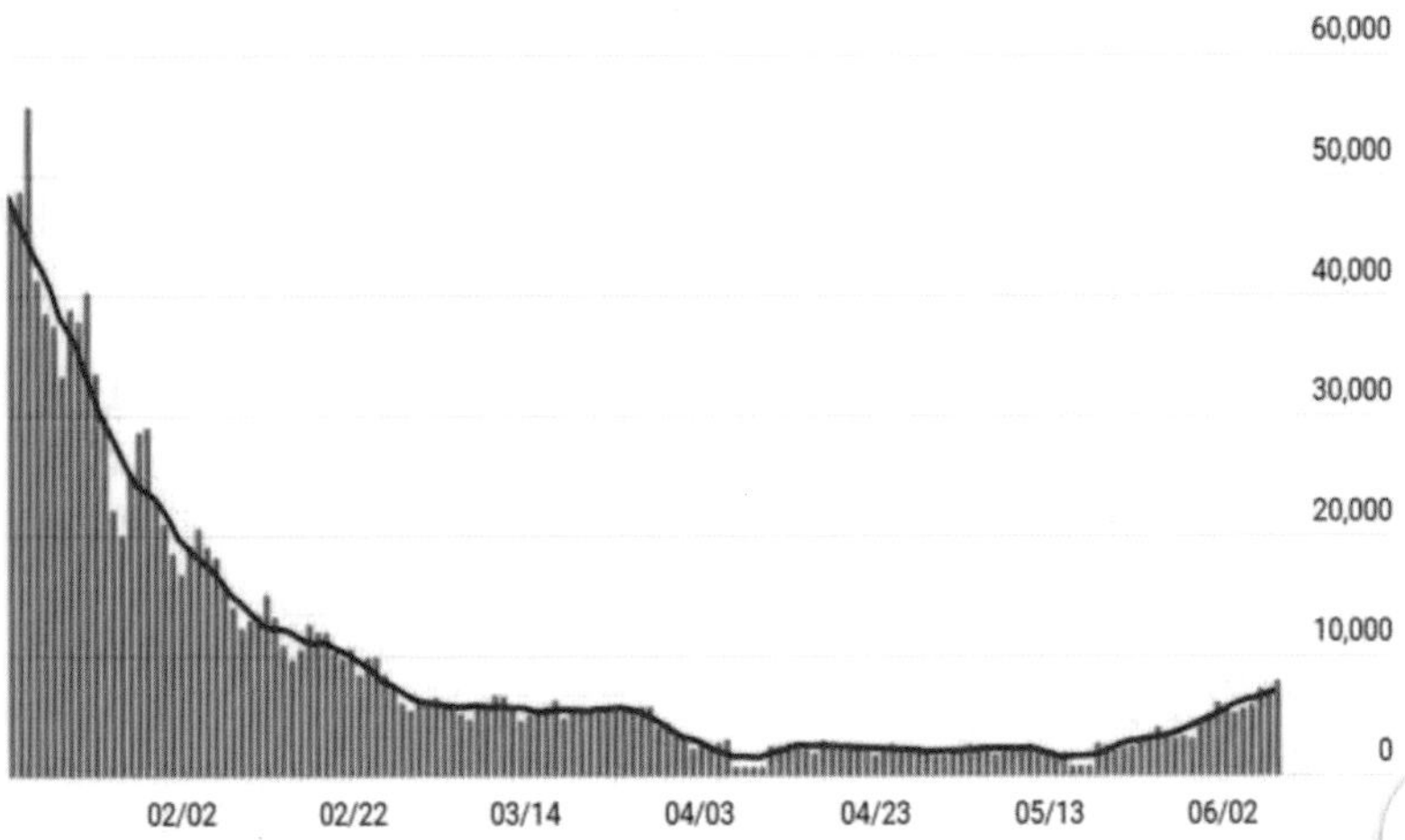

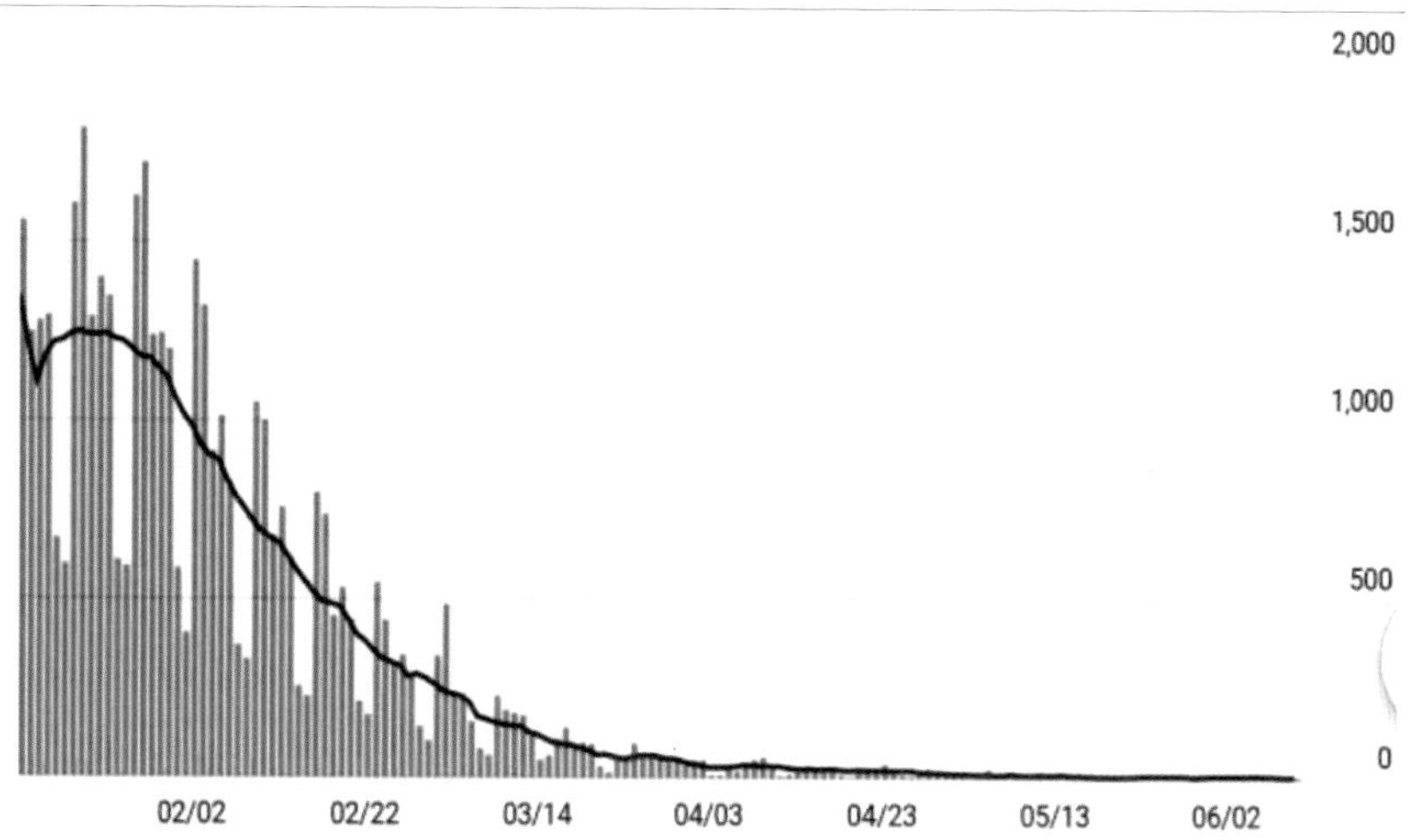

英国を参考に、感染力が強いインド株が日本でも

増大すると予想をしている。イギリスのインド株の拡大を報道するが感染死者が一桁台であることは報道しないのが日本のマスメディアである。

　去年、コロナ感染がヨーロッパに比べて圧倒的に少なかったのが日本であった。日本マスメディアはヨーロッパの感染状況をほとんど報道しなかったし、日本と感染状況を比べることもしなかった。ＷＨＯやヨーロッパの専門家が日本の感染の少なさを不思議に思い「コロナ対策をしていないのに感染者が少ない不思議な国ニッポン」と呼んでいたほどである。日本のマスメディアと専門家は日本の感染が少ないことを科学的に説明することはしなかった。

　説明しなかったのはクラスター対策班によるクラスター潰しを最初から無視したからであった。クラスター対策班の活動なくしては日本のコロナ感染が非常に少ないことを説明することはできない。クラスター対策班の活躍を認めることは安倍・菅政権のコロナ対策を称賛することになる。称賛しないで安倍・菅政府のコロナ対策が失敗であることを主張するためにクラスター対策班を無視したのが日本マスメディアである。無視することによって安倍・菅政権のコロナ対策のケチ付けを続けたのである。

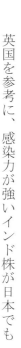

菅政権は高齢者を中心にワクチン接種をしている。菅首相は8月末日までに高齢者ワクチン接種を終わらすことを目指している。ワクチン接種の効果を見るにはワクチン摂取先進国イギリスの状況が参考になる。イギリスでは感染死者が一桁になっている。マスメディアはイギリスの死者激減に大注目し、報道して国民に知らせるべきである。ワクチン接種が死者を激減させることを国民に報らせ、ワクチン接種の促進を国民に呼びかけるべきである。しかし、日本のマスメディアはやらない。マスメディアの本音は感染コロナが拡大して大騒ぎになることである。大騒ぎになって新聞やネット報道が売れることがマスメディアの望みである。

国民がワクチン接種に積極的になることが必要であるがマスメディアはワクチン接種に淡々とした報道を繰り返し、ワクチン接種促進にソッポを向いた報道をしている。国民がワクチン接種に積極的になることが嫌であるからだ。

クラスター対策班がコロナ感染を押さえたことを報道しなかったように、イギリスの感染死者が少ないことを報道しない日本マスメディアの狙いは一つである。安倍・菅政権のコロナ対策はお粗末であり、失敗であることを国民に信じさせることである。

コロナ感染が拡大すれば菅政権のコロナ対策の失敗を批判してマスメディアは賑わうだろう。マスメディアが期待しているのはコロナ感染拡大である。菅政権はマスメデイアの期待を確実に裏切るね。

6月23日

日本マスメディアが徹底して報道しない「日本の感染は他国より少ない」をWHOが発表した

尾身会長の分科会は専門家の一部の集まりである。マスメディアは政治家VS専門家を強調しているが、裏は専門家VS専門家であり、菅政権は分科会ではなくオリンピック開催を容認している専門家の意見を受け入れているということである。

日本ではコロナ感染拡大に反対して、五輪開催反対、容認するが無観客を主張するという勢力が政府の五輪開催・1万観客に反対し、多くのマスメディアも反政府の報道を繰り返している。そんな中で世界保健機関（WHO）で緊急事態対応を統括するマイク・ライアン氏は日本の感染者数は「大規模イベントを主催している他の多くの国より少ない」と発表した。

ライアン氏は、日本の感染者数はここ数週間で持続的に減っていることを指摘。「過去1週間で、日本の100万人当たりの新規感染者は80人。同じ時期に米国は3倍、ブラジルは30倍、英国は9倍だ」と述べた。米国では多くのプロスポーツが観客を入れて開かれている。英国を含む欧州各地でもサッカー欧州選手権が観客ありで行われていることもライアン氏は話した。これは紛れもない事実である。日本は感染者は少ない。日本より多い米国や欧州ではサッカーなどのスポーツ大会が有観客で実施されている。米・ラスベガスで19日（日本時間20日）に行われた井上尚弥のWBA・IBF統一バンタム級タイトルマッチ12回戦も有観客で行われた。

五輪開催に反対するマスメディアにとって日本の感染者が外国より少ないことや外国で有観客のスポーツイベントが行われていることは五輪反対を正当化するのに都合が悪い。だから、この事実をできるだけ報道しないようにしている。それは今に始まったことではない。日本のマスメディアはコロナ感染者が外国より少ないことの報道をいままでもしてこなかった。去年も日本の感染者が少ないことを最初に発表したのはWHOだった。

世界保健機関（WHO）のテドロス事務局長は

「ピーク時は1日当たり700人以上の感染者が確認されたが、今は40人前後に減り、死者も最小限にとどまっている」と日本が新型コロナ対策に成功したことを発表したのである。安倍首相の時に緊急事態宣言を4月7日に発令し、5月21日に解除した。多くても700人台だった感染者は40人前後にまで減ったのである。この事実を日本のマスメディアは国内にも世界にも発信しなかった。発信したのはWHOであった。外国のマスメディアや専門家は日本のマスメディアの報道て日本は感染が広がっていると思っていたのである。WHOの発表で世界の国々は日本の感染者数が少ない事実を知った。外国の専門家やジャーナリストはなぜ日本の感染者が少ないのか、その理由が分からず「不思議な国ニッポン」と呼んでいた。日本のマスメディア、専門家は感染者が少ない原因を説明することはできなかった。自分の国で起こったことの原因を解き明かすことができなかったのである。それも「不思議な国ニッポン」である。

感染者が少ない原因は政府のクラスター対策、非常事態宣言の効果だった。感染者が少ない原因を説明することは政府を称賛することになる。政府批判がモチベーションであるマスメディアだから少ない原因を発表することはしなかったのである。それどころか、感染＝死のイメージをつくり、感染拡大恐怖を国民に植え付けていった。

実は去年の日本の感染症による死は減っていた。去年はインフルエンザに新型コロナが加わった。だから、感染症の死者は増えると多くの専門家は予想していた。しかし、事実は違った。厚労省の調査で感染症死者は減ったことが分かった。原因はインフルエンザの死者が激減したからである。1年の新型コロナによる死者は約1500人であった。一方、インフルエンザの死者は例年は3500人くらいであったが去年は約2000人減って1500人の死者であった。だから、感染症の死者は5000人減ったのである。この事実を知っている国民は非常に少ないだろう。なぜならマスメディアが報道しないからだ。私はこの事実をネットで見つけた。マスメディアは新型コロナの感染恐怖をイメージさせる報道を徹底してやっている。

マスメディアの新型コロナ恐怖イメージ戦略によって国民はコロナ感染に異常なほどに恐怖心を持つようになっている。東京が15日の感染者が337

人から４３５人になり約１００人増えたことに、ネット上では即座に「リバウンド段階に入ってしまいましたね」「本当にリバウンドが始まったか」「これはまずい」と、悲観的なコメントが増えた。１００人増えたことに対する恐怖は五輪開催、有観客に対する不安に拡大していく。だから、

「これで五輪」

「マジで五輪無観客にすべきなんじゃないの？」

「五輪は無理」

「五輪開会式あたりには惨憺たる状況になっていそう」のような国民のコメントが増えている。

　日本では東京で１００人増えただけで何万人も増えたような恐怖に襲われる市民が多い。コロナ感染が増えれば非常事態宣言を発令すれば押さえることができることを政府は三回も実証した。だからコロナ感染が拡大すれば非常事態宣言を発令すればいいだけのことである。ところが市民はたった１００人増えただけでリバウンド恐怖に襲われるのである。原因はマスメディアのコロナ恐怖戦略報道が深く浸透しているからである。

　「リバウンドしても緊急事態宣言を発令すれば減少する」をマスメディアが何度も報道すればコロナ恐怖症はなくなるはずなのにマスメディアは報道しない。コロナ感染の恐怖をあおる。そして、五輪開催、加えて有観客で行うことが決まったことに対して、「これで五輪」「マジで五輪無観客にすべきなんじゃないの？」「五輪は無理」「五輪開会式あたりには惨憺たる状況になっていそう」と不安が増長している報道をするのである。

　イギリスでは２０００人程度まで減っていた新規感染者が、１万人まで急増した。しかし、死者は一桁である。原因はワクチン接種が完了していない若者が感染し、完了した高齢者は感染していないからだ。若者の致死率は非常に低い。だから死者は少ない。イギリスを参考にすれば高齢者のワクチン接種が８月末に終了する日本もコロナ感染死者が激減するだろう。ところがマイメディアは若者を含めた全体のワクチン接種を問題にし、７月中旬の段階では２度のワクチン接種を終えるのは全人口の２０～２５％程度であり感染は広がると報道をしている。「７月中旬なら高齢者のワクチン接種は６０～８０％になり、感染死者は激減するだろう」の報道は絶対にしない。国民のコロナ不安を増長させるのがマスメディアと尾身会長と専門家である。

6月25日

衆愚政治に陥らず　コロナ感染と対峙し　東京オリパラ開催に進む菅首相

「五輪中止　国民の命優先」のキャッチフレーズが国民の気持ちを捉え、五輪開催反対が世論調査で80％になった。日本は民主主義なのだから菅政権は五輪を中止しろの圧力が非常に強くなった。80％の国民が五輪中止に賛成なのだから菅首相は五輪中止に動くだろうと思われたが、菅首相は違った。五輪開催に動いた。マスメディア、尾身会長、専門家は菅首相を批判した。80％の国民の要求にソッポを向いた菅首相は民主主義を裏切る独裁政治家であると非難するジャーナリストは多かった。菅政権の支持率は30％台に落ちた。国民の支持を回復したいのなら国民が望むように五輪中止をすればいいのだが、菅首相は一度も五輪中止するような態度を見せなかった。菅首相は着々と五輪開催の準備を進めていった。

菅首相を評価する。なぜなら「菅首相は衆愚政治に陥らなかった」からである。菅首相は政治家として世論調査に巻き込まれる衆愚政治ではなく、毅然と価値のある五輪開催の道を選んだのである。

緊急事態宣言を解除した。飲食店での酒の提供を許可するようになった。だからコロナ感染者が増えるのは確実である。減ることはないし、そのままの状態を維持することもできるはずがない。新型コロナは感染力が高いのだから感染者が増えるのは確実である。最悪の場合は東京五輪を中止しなければならない事態になるだろう。東京オリパラを中止しないようにコロナ感染を押さえるのは至難のことである。もし、パンデッミックが起これば菅首相の責任であり、内閣は解散しなくてはならない。パンデミックが起こらなくてもスタージ4になり医療崩壊が起これば菅首相は責任を取らなくてはならない。だから、東京オリパラ開催を選択したことは菅首相にとって茨の道である。

東京オリパラの成功はコロナ感染押さえ込みの成功以外にはない。緊急事態宣言を解除した東京では先週より118人増えて619人の感染者が出た。

市民はコロナ感染拡大の恐怖に陥るだろう。それに感染者が１０００人以上になれば緊急事態宣言を発令をしなければならなくなるだろう。現在はますます難しい状況になりつつある。

ウガンダの選手に二人目の陽性者が出た。外国から来る選手やスタッフにはウガンダの選手と同じようなことが起こるだろう。外国の選手受け入れにもコロナ感染問題が起こるだろう。困難な道しかないのに菅首相は東京オリパラ開催実現に向かっている。理由は東京オリパラを成功させることができる根拠があるからである。

私が考える東京オリパラが成功する理由

１　選手は若くて健康である。だからコロナに感染しても無症状か軽症である。重症化、死亡の心配はない。

２　選手、スタッフはワクチン接種をする。感染する確率は非常に低い。

３　選手、スタッフが観客にコロナ感染させることはない。

４　日本で徹底してＰＣＲ検査をするので選手が帰国する時は陰性である。だから国に帰ってもコロナ感染させることは絶対にない。

１、２、３、４を見れば、選手、スタッフから国民にコロナ感染することはない。

５　大相撲、プロ野球等はコロナ対策をやった上で有観客にした。何十回も有観客の試合をしたがコロナ感染はなかった。感染対策をやれば有観客であってもコロナ感染する確率はとても低いことが実証された。東京オリパラもコロナ対策をしっかりやればコロナ感染を防ぐことができる。

６　コロナ感染の特徴はクラスター感染する確率が高いことである。人流で感染する確率は低い。沖縄で東京の観光客からコロナ感染が拡大したが、感染したのは観光地ではなかった。那覇市松山の飲食店だった。飲食店で感染し、松山の飲食街に拡大し、松山から県全体に拡大していった。感染拡大の原因は人流ではなくて飲食店のクラスターであった。観光と県外からの流入が感染の原因ではあるが、コロナ感染拡大は飲食店でのクラスターによって起こった。観光と同じようにオリパラによる人流拡大はコロナ感染に大きく影響することはない。影響するのは人流ではなく飲食店のクラスターである。だから、飲食店のクラスター対策を徹底することがコロナ感染を防ぐことになる。

　東京オリパラがコロナ感染拡大の原因になることがないことはオリパラが開催されれば明らかになることである。

7

　感染死者の90%以上が高齢者である。22日までの一週間の死者平均は34人である。34人の90%が高齢者とすれば31人が高齢者である、高齢者が全員ワクチン接種すると高齢者の感染者は0になり、死者は3人になる。

　高齢者のワクチン接種は進み、次第に感染死者は減っていくだろう。東京オリパラが始まる7月23日には感染死者は2.0人以下になると予想している。そして、東京オリパラが進んでいくにつれて感染死者は減っていくだろう。感染者は若者が増えて全体としても増えていくかもしれない。しかし、感染死者は激減する。イギリスでこのことが実証されている。

「新型コロナイスラエル3日連続で感染100人超　デルタ株広がる」とイスラエルに新型コロナ感染が拡大しているイメージをさせる報道があった。報道ではイスラエルはコロナワクチン接種が最も順調に進んだ国の一つだが、デルタ株に関連する感染の急増を受け、6月半ばに1桁台に減っていたが、今週は3日連続で100人を超えたと書いてあった。イスラエルの感染表を見て驚いた。感染者は書いてある通りだが、マスメディアは死者については触れていない。

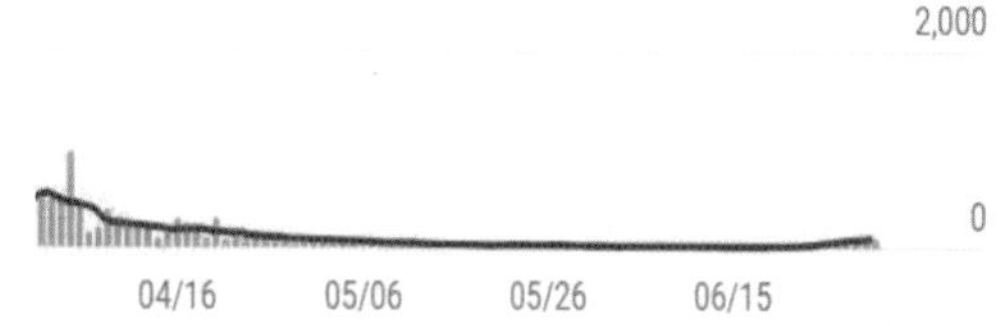

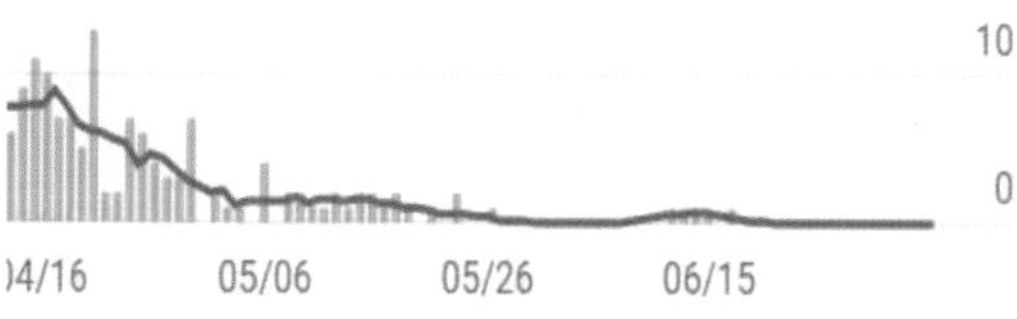

下の表が死者表であるが、死者は5月20日以降は二人の死者が出ただけで、ほとんどの日は0が続いている。マスメディアはデルタ株の感染力を誇張しているが、それよりも注目するべきはワクチン接種によって死者がほとんど出ていないことである。ところが日本のマスメディアはデルタ株の感染力を強調し、デルタ株にワクチン接種は無力であるようなイメージ記事を広めている。

5カ国の一週間平均感染死者である。

イスラエル0人・イギリス14人・イタリア25人・ドイツ58人・フランス154人
ワクチン接種が進んでいる国は感染死者が少ないことがはっきりしている。菅首相が100万人ワクチン接種を掲げたのは称賛するべきである。国民が新型コロナに感染することになんとも思っていないのがマスメディアの正体である。

国民はマスメディアに惑わされているが菅首相は惑わされていない。コロナ対策、ワクチン接取を徹底してやればコロナ感染死者は激減し、東京オリパラも乗り切ることができる。

緊急事態宣言を解いてまん延防止等重点措置に移行すれば感染者が増加するのは当然のことである。「東京都でリバンウンドの予兆」というが予兆ではない。当然のリバウンドである。緊急事態宣言を解除すればリバウンドする。緊急事態宣言を発令すれば減少する。リバウンドと減少は緊急事態宣言で調整できる。

前回の緊急事態宣言発令した時は感染者が1000人に達していた。感染者が増加すれば緊急事態宣言を発令し、減少すれば解除する。それを繰り返していくのがコロナ対策の基本である。

医療ひっ迫にならなければ東京オリパラ開催に問題はない。それには飲食店への規制を厳しくすることとワクチン接種を促進することである。

東京オリパラ開催を目標にすることは新型コロナ対策を強化することにもなる。菅首相が選んだ東京オリパラ開催はコロナ感染対策にも有効である。

マスメディアや専門家は都の感染リバウンドを利用して都民や国民にコロナ恐怖をまき散らすだろう。菅首相は議論ではなく実践で彼らのデマゴギーを粉砕すればいい。それは確実にできる。

６月３０日

問題にするべきは感染者数ではない死者数である

専門家やマスメディアは感染力の強いデルタ株が日本で拡大していくことを問題にしているが、デルタ株の感染力がどんなに強かろうがワクチン接種をすれば感染はしない。日本は高齢者のワクチン接種を促進している。８月末までには高齢者全員がワクチン接種をするからデルタ株であろうが高齢者は感染しない。だから高齢者の死者も減っていく。

感染者数だけにこだわっている専門家、マスメディアは多い。感染者数にこだわるのは新型コロナ感染についての基本が間違っている。こだわるべきは死者数である。

専門家、マスメディアはイギリス、イスラエルでデルタ株が猛威をふるっていて、日本もイギリス、イスラエルのようになると警告している。しかし、両国の感染者は増えたが死者は増えていない。

イギリス
感染者　１６０６９人
死者　２０人
感染者　１７５人
死者　０人

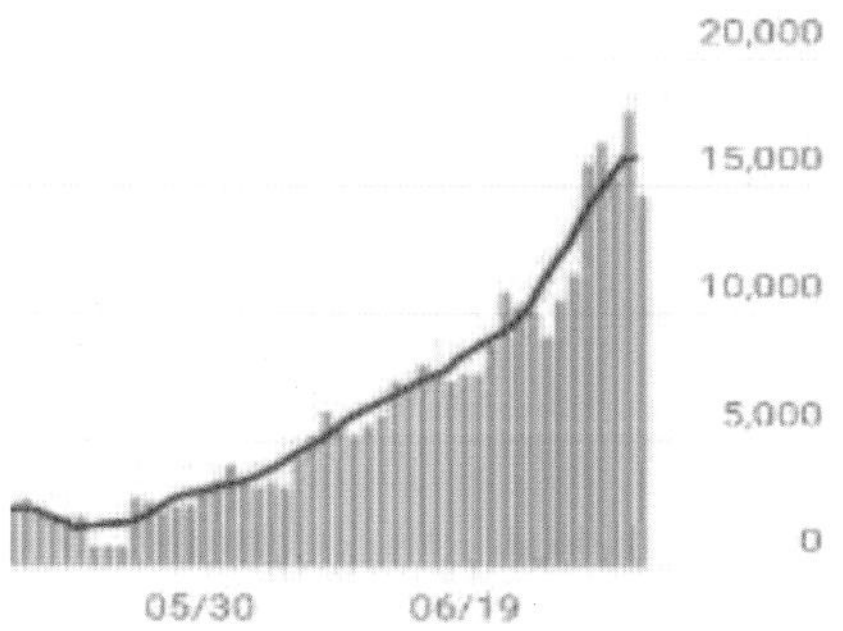

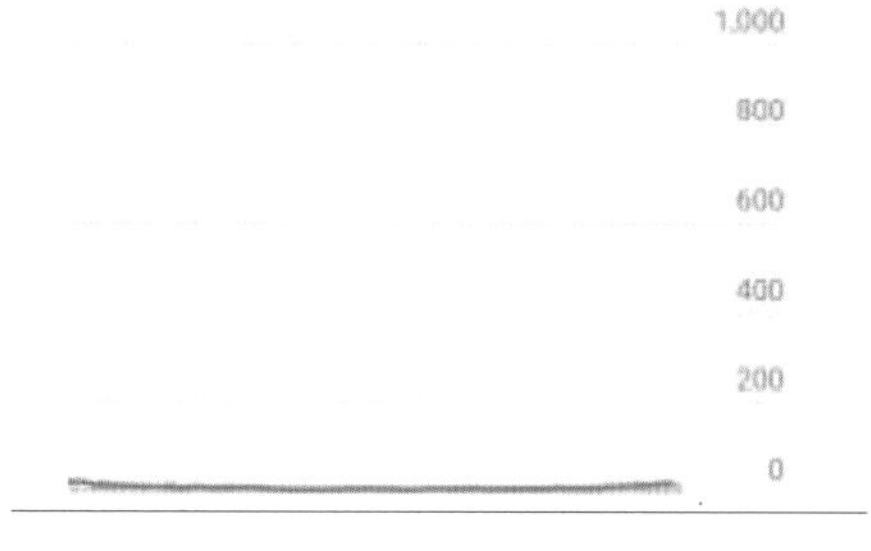

イスラエル
感染者　１７５人
死者　０人

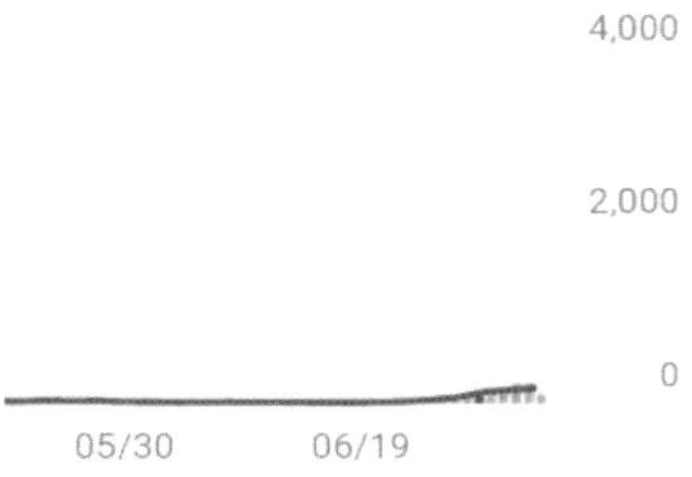

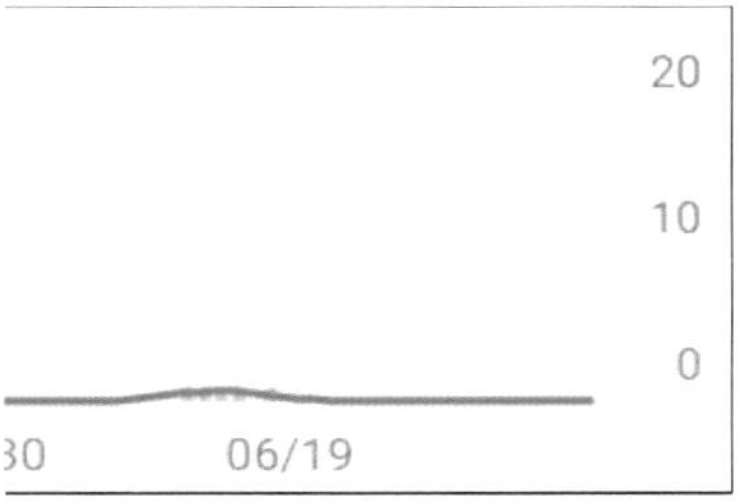

イギリスは感染者が1万6000人以上に急激に増えていったが、死者は20人であり増えていない。死者が少ない原因は高齢者へのワクチン接種が進み、高齢者の感染者が激減したからである。イギリスの感染者のほとんどは若者である。若者は無症状や軽症者が多く、死者は非常に少ない。高齢者のワクチン接種が進んでいるイギリスだから死者が非常に少ないのだ。ワクチン接種促進こそが一番のコロナ対策である。それを実証したのがイギリスでありイスラエルなのだ。

多くのマスメディアや専門家は東京オリパラ開催がコロナ感染を拡大し、国民の命を奪うと予想している。感染を押さえるためにオリパラを中止するか、開催するなら無観客にしろと政府に要求しているのが尾身会長や専門家たちである。。

東京都の感染者が増えたことで急激なリバウンドが懸念される状況であると専門家は指摘しているがリバウンドは当然のことである。緊急事態宣言を解除し、規制の緩い蔓延防止等重点措置にしたから感染者が増えたのだ。しかし、蔓延防止措置によって急激なリバウンドはしないだろう。事実、イギリスのように1万人越えはしていない。イギリスの10分の1が日本の感染者数である。

これから注目することは蔓延防止とワクチン接種によって感染者・死者の被害を押さえることができるかどうかである。緊急事態宣言の解除+高齢者ワクチン接種促進ににによって若者の感染者は増えるかもしれないが高齢者の感染者は激減する。高齢者の感染減は死者が減ることにつながる。だからコロナ感染死者は減るだろう。コロナ感染増大を理由にオリパラ中止、無観客の主張が正しいか、それとも有観客のオリパラ開催をする政府が正しいかは一か月後には明らかになるだろう。

高齢者のワクチン接種によって東京の高齢者感染が減少したことはちゃんと数字に表れている。

東京の感染者の65歳以上の高齢者の占める割合は1月後半から3月末にかけて20％台の高水準だったが、4月後半から5月後半までは10～11％台になった。そして、6月に入ると10％を下回ったのである。その後も割合はどんどん下がり、今月23日から28日まで5％台で推移している。イギリスで起こったことを参考にしてこれからのことを予測してみよう。新規感染者は増えていくかもしれないが、死者は減っていくだろう。感染者が増えれば死者も増えて行くというのはワクチンがなかった時のことである。高齢者のワクチン接種が増えれば死者は減っていく。イギリスのように。

東京も全国も感染者は増えても感染死者は減っていく。それは医学的にも科学的にも正論である。感染しても無症状か軽症で死ぬことはほとんどない若者にとって新型コロナはインフルエンザよりも軽い感染症である。死者数に注目していけば新型コロナへの恐怖は次第に薄れていくだろう。東京オリンピックパラリンピックを開催している中で新型コロナへの恐怖心は薄れていくだろう。

専門家、マスメディアがつくりり上げるコロナへの恐怖心は次第にしぼんでいくのは確実である。

新型コロナの全国の重症者は5月25日に1413人であったが、6月28日には552人と3分の1近くまで減っている。医療ひっ迫はすでに解除している。このことも注目することである。

多くの専門家やマスメディアは人流が拡大したことでコロナ感染のリバウンドが起こって、第5波の到来を予想している。東京は5日連続で感染者が増え、東京オリパラは無観客にしなければならないと指摘している。

緊急事態宣言を解除したのだから感染者が増えるのは当然である。問題は緊急事態宣言に代わったまん延防止等重点措置でどの程度リバウンドを押さえることができるかである。押さえることができなくて感染者が1万人以上になるならコロナ対策の失敗である。

18日から26日までの感染者・死者数を見ると感染者は増えているが死者は増えていない。横這いである。高齢者へのワクチン接種が進めば横ばいから減少になっていくことは確実である。

７日間移動平均でみてみると、医療が逼迫（ひっぱく）した第３波では、１月後半から３月末にかけて２０％台の高水準だった。

第４波に見舞われた４月後半から５月後半までおおむね１０～１１％台だったが、６月に入ると１０％を下回った。その後も割合はどんどん下がり、今月２３日から２８日まで５％台で推移している。

東京医療保健大の菅原えりさ教授（感染制御学）は「感染の動向を見る限り、ワクチン接種の効果につきるのではないか」とみる。

６５歳以上のワクチン接種は４月１２日から一部の市町村で開始され、５月後半から本格化した。今月２７日時点で１回目の接種率は５６・４７％と半数を突破、２回接種を終えた人も２２・５１％まで増えている。

イギリスは１万人以上の感染者が出たが５万８０００人観客のイベントを開催した。感染が確認されたのは２８人だった。７月１８日決勝のシルバーストン・サーキットを開催する。最大１４万人にも達する規模の観客になる。

感染者１３３９０人、死者１５４人のフランスでは世界最大の自転車レース、ツール・ド・フランスが開幕した。

サッカーの欧州選手権は１１日に開幕する。続き２４チームが参加する。史上初めて欧州広域１１都市で開催される。

ブラジルで開催中のサッカーの南米選手権が開催され、陽性と判定された人は８２人に上った。ブラジルは世界三位の感染数である。コロナ対策はずさんである。だから、サッカー選手の感染者が多い。全員が無症状か軽症であり、重症化する感染者はいなかった。

新型コロナは感染症である。政治体制、文化によって感染に差がつくものではない。科学的なコロナ対策が感染を左右する。だから外国のコロナ対策と感染状況を調べて日本のことを考えるのは重要である。

7月5日

感染者数だけを問題にする日本の専門家は新型コロナを分かっていない

日本の感染専門家が問題するのはコロナ感染者数である。東京都のコロナ感染について、感染が連続で前の週の同じ曜日を上回っていることを重視し、このままでは1日当たり感染者数が最多の2520人に達した年末年始の「第3波」を超える急拡大が危ぶまれると指摘し、第4波がやって来ると政府に警告している。

専門家は感染者数を常に問題にしている。死者数を問題にしない。感染者が増えれば比例して死者も増えるというのが専門家の考えだからである。

「感染者が増えればベッドはすぐに埋まり、人員も設備も足りなくなって十分な医療を提供できず、結果的に重症者も増える」

「入院者数が一定数を超えると、病院同士の連携機能が圧迫され、搬送が遅れて入院先が決まる前に重症化するリスクが高まる」

だから、入り口の感染者数の急増はいずれ、病床の逼迫に帰結するというのが専門家の考えである。

専門家の考えは過去の感染病については正しい判断かもしれないが新型コロナには通用しない。新型コロナは感染者数と死者数は比例しないからだ。死亡率が高いのは疾患のある高齢者である。若者は無症状か症状が軽い。つまり若者がコロナに感染して死亡することはほとんどない。7月3日までの死亡者は14，847人であるが、死亡者のほとんどが高齢者である。

もし、感染者に高齢者はゼロで全員が若者であると仮定するならば死者は出ないということになる。専門家が感染者が急増すると病床がひっ迫するというのは高齢者の感染者がいることを想定しているからだ。もし、高齢者の感染者が居ないで若者だけの感染者だとすれば無症状や軽症の感染者だから、感染者が増えても病床がひっ迫することはない。

高齢者のワクチン接種が4月12日から始まった。8月末には高齢者のワクチン接種を終える予定である。専門家であるなら高齢者のワクチン接種が感染者数・死者数にどのように関連するかを調査するべきである。だから、調査すると思っていた。しかし、調査しているというニュースは今まで見たことがない。高齢者へのワクチン接種を始めてからもう少しで2カ月になる。効果は出ていると思うが、それを説明するニュースはない。

　専門家は感染者が急増すれば重傷者が増えるという理論である。感染者が増えても重症者は増えない場合もあり得るという理論はない。だから、高齢者のワクチン接種の効果を調査する気にならないのだろう。しかし、新型コロナであれば調べなければならない。でなければコロナ感染の実情を正確に知ることはできないからだ。死亡率について6月と7月を比べた。

日本は感染死者も死亡率も確実に減っている。

6月	感染者	死者	死亡率
1日	2417人	81人	3％
2日	3061人	92人	3％
3日	2874人	105人	3・6％
4日	2598人	119人	4・5％

7月	感染者	死者	死亡率
1日	1754人	24人	1％
2日	1776人	25人	1％
3日	1881人	9人	0・47％
4日	1484人	6人	0・4％

　感染者が減っているから死者も減るのは当然である。注目してほしいのは死亡率である。6月は3％であるが7月は1％になっている。死亡率も減っているのである。たった4日間の比較であるから正確であるとは言えないが、死亡率が低くなっている原因は高齢者の感染率が減ったからである。高齢者の感染率は4月末から5月にかけての10％強であったが最近1週間の感染率は5％になっている。感染率の半減が死亡率も半減させたのである。専門家であればコロナ感染の性質を知るためにも死亡率を調査するべきだと思うが調査していない。感染者と死亡は比例関係にあると信じているのが日本の専門家なのだろう。感染症専門という権威にのっかって的外れの新型コロナ対策を振り回している日本の専門家連中である。

　東京オリパラで専門家たちの御託が間違いだらけであることがさらけ出されるだろう。しかし、それを国民に伝えることができるジャーナリストは居ないかもな。ジャーナリストと専門家は同じ穴のムジナだから。

7月6日

観客1万人　問題なし　政府は無能な専門家、マスメディアの圧力に屈するな

朝日新聞は、収容人数の50%が5千人以上となる大規模会場は無観客とし、それ以外は観客を入れる方針などを政府関係者が確認したと報道した。信じられないことである。政府は最初の計画通り50%以下か、1万人観客を実施するべきである。

プロ野球、サッカー、大相撲は有観客でやってきた。数カ月の間クラスターは起こっていない。コロナ対策をしっかりとやれば有観客でもコロナ感染は押さえられることが実証されたのである。東京オリパラもしっかりとコロナ対策をやれば感染を押さえることはできる。政府が1万人観客を実施するのは当然のことである。

政府はスーパーコンピューター「富岳」で、観客1万人の中に10人の感染者がいる前提で、国立競技場の感染リスクを試算した。結果は、全員がマスクをして、観客の間に空席を設けたら、後ろから前に風が吹くと、感染リスクは限りなくゼロ。前から風が吹いたら、1万人あたりの新規感染者数は、1人に満たないである。

プロ野球、サッカー、大相撲、「富岳」の試算が信頼できる有観客のコロナ感染である。感染はほとんどない。政府は1万人観客を実施するべきである。

無観客を主張する専門家は競技場で感染することは主張しなくなった。競技場から出た観客が外で騒いだり、飲食店に入ってコロナ感染を拡大すると主張するようになった。それにオリパラはプロ野球とは違って全国からやって来るから、コロナ感染が全国に拡大する。だから、無観客にしろと主張するようになった。プロ野球、サッカー、大相撲だって県を超えて見にくる。観客についてはオリパラと大きな違いはない。科学的根拠はなく、身勝手なイメージ論でオリパラを特別扱いしているのが専門家たちである。

政府は非科学的な専門家やマスメディアの無観客圧力に惑わされないでほしい。科学的な根拠によって東京オリパラの観客動員を実施してほしい。

7月7日

菅首相は非科学的で無知な連中の脅しと闘い　1万人観客実現を

朝日新聞のネット版にエルサレム＝清宮涼の記事「ワクチン『効果が減少』　イスラエル、デルタ株の影響か」が掲載されていた。

イスラエル保健省は、米ファイザー製の新型コロナウイルスのワクチンについて、発症を防ぐ効果94％から64％に減少したと発表したというのである。世界で初めてである。原因はインドで最初に見つかった変異株（デルタ株）との関連が指摘されているという。もし、本当ならワクチン接種が進んでいる国々でデルタ株感染が急増することになる。重症化を防ぐ効果は93％あるとも書いてある。読んでいくと64％に減少した原因はデルタ株ではないことが分かった。記事は次のように書いてあった。

イスラエルでは昨年12月にファイザー製のワクチン接種を始め、国民の6割近い約510万人が各2回の接種を終えている。1日の新規感染者数が1時、10人台にまで減り、6月にほとんどの規制を解除した。

イスラエルはほとんどの規制を解除したのである。解除すればコロナ感染は当然拡大する。6月初めに解除したからコロナ感染はゆっくりと拡大した。そして、下旬にはかなり増えていったのである。コロナが拡大したのはデルタ株が原因ではなく規制緩和が原因だったのだ。イギリスも規制緩和したから急激にコロナ感染が広がった。しかし、ワクチン接種した人は感染していない。記事の題名は間違っている。「イスラエル規制緩和で感染者拡大　ワクチン接種者は感染していない」が正しい。

イギリスは規制を緩和したので2000人から25000人へと急激に感染者が増えた。日本も緊急事態宣言から蔓延防止重点措置に規制を緩和したので感染者は増えた。規制緩和すれば感染者が増加するのは世界共通である。

イギリスではコロナ感染者は急激に増えたが死者は増えていない。7月5日の感染者は24100人であるが死者は9人である。感染者2000人以下の日本より少ない。原因はイギリスはワクチン接種が進み、高齢者のほとんどはワクチンを接種しているからだ。コロナに感染したのはワクチンを接種していない若者である。新型コロナの特徴は若者は感染しても無症状、軽症であり、死ぬことはない。だから、25000人の感染者が出ても死者はたった9人なのだ。

　日本はイギリスのようにはワクチン接種は進んでいないが、高齢者へのワクチン接種は進んでいる。その効果は出ている。日本でも感染死者は減り、死亡率も確実に減っている。6月と7月を比べる。

6月	感染者	死者	死亡率
1日	2417人	81人	3%
2日	3061人	92人	3%
3日	2874人	105人	3.6%
4日	2598人	119人	4.5%
5日	2660人	85人	3%
6日	2078人	74人	3.6%

7月	感染者	死者	死亡率
1日	1754人	24人	1%
2日	1776人	25人	1%
3日	1881人	9人	0.47%
4日	1484人	6人	0.4%
5日	1030人	19人	1.8%
6日	1669人	22人	1.3%

　死亡率に密接に関係するのが重症者の数である。重傷者は6月2日に1227人だった。一カ月間減り続け7月6日には480人になった。高齢者へのワクチン接種の効果であることは間違いない。重傷者が減り、死亡率も下がったのである。高齢者へのワクチン接種が終わる7月末以降は死亡率はイギリスのように0.03%になるだろう。

　新型コロナは、ワクチン接種すれば感染しない・死亡するのはほとんどが高齢者・若者は無症状、軽症、死亡しない・無症状でも感染させる。

　高齢者のワクチン接種が進んでいる日本では感染が増えていっても死者は減り続ける。東京オリパラの1万人観客はなんの問題もない。新型コロナの性質を知らない連中が無観客にしろと騒ぐのである。菅首相は非科学的で無知な連中の脅しに負けないで1万人観客を実施してほしい。

7月7日

東京都コロナ感染205人増えて920人　しかし高齢者は3％

　都内で新たに感染が確認されたのは920人で、、先週水曜日の714人から206人増えて、18日連続で前の週の同じ曜日を上回っています。

年代別では、

10代以下が123人、

20代が265人、

30代が191人、

40代が181人、

50代が103人、

65歳以上が29人

　高齢者の感染率は3％である。ワクチン接種が進み、高齢者の感染は確実に減っている。

重症者はきのうと比べ、1人減って62人。

新たに死亡が確認されたのは3人で死亡率は0．3％であった。

　高齢者の感染が減ったから死亡率も下がった。感染者が増えたことだけにこだわって騒ぐのは愚かである。

7月11日

静岡、宮城は専門家の無観客論が間違っていることを実証する

東京オリンピックは1都3県の会場で無観客が決定した。残念である。政府が有観客にしようとしていた北海道と福島も無観客が決まった。一都三県が無観客に決まったのだからその流れの中で北海道と福島の知事が無観客を決めたのは仕様がない。これで宮城、静岡、茨城の3県の会場だけで「収容人数の50%以内、最大1万人」の範囲で観客を入れることになった。また茨城県は児童・生徒を招待する学校連携観戦も決まった。

北海道、福島は有観客でやってほしかった。そうすれば尾身会長などの専門家が主張する「有観客はコロナ感染を拡大させる」が事実であるか否かを明確にすることができた。明確にするのは宮城、静岡、茨木だけになった。

コロナ対策をちゃんとやれば有観客でコロナ感染が広がることはない。それをプロ野球、大相撲等のプロスポーツ界が実証した。この事実に無観客派は反論できない。有観客は感染すると主張していた専門家は有観客＝コロナ感染論をひっこめた。そして、競技場外で大騒ぎして感染することを主張したのである。それに、プロ競技とオリパラは違うと理由にならない理由で無観客を主張するようになった。それが尾身会長たち専門家集団である。

現在のコロナ感染状況は感染者は増えているが重傷者と死者は減っている。この傾向はこのまま続き、65歳未満の国民へのワクチン接種が進めば感染者も減っていく。

静岡県の川勝平太知事は11日、「感染対策のための措置を取れば、十分に本県はできる」と報道陣に述べ、同県での競技は観客を入れて開催する意向を示した。川勝知事の判断は正しい。しっかりと感染対策をすれば感染はしない。競技場外での感染も押さえることができる。

有観客でコロナ感染が広がるか否かが静岡、茨木、宮城ではっきりする。3県は専門家の無観客論が間違っていることを実証するだろう。

7月10日

恐怖心を植え付けるのに執心しているのが日本のマスメディア

朝日新聞は10日に東京都が950人感染したことを重視して、5月13日以来（1010人）となる1千人超えが目前になったことを強調する。政府は12日から東京に4度目の緊急事態宣言を出すが、東京オリンピック（五輪）が開幕する23日までの減少効果は限られ、感染者1千人超で迎える五輪の開幕が現実味を帯びていると深刻そうに書いてある。

「朝日新聞よ。それがどうした」と言いたくなる。1000人の死者が出るわけではない。1000人の重傷者が出るわけでもない。1400万人の東京でたかが1000人くらいのコロナ感染者が出るくらいで大騒ぎする必要は全然ない。1000人の多くは若者である。若者のほとんどは無症状、軽症である。病気の内に入らない。それに緊急事態宣言をすれば感染者は減る。1000人超えたとしてもすぐに1000人以下になる。1000人超えもなんの問題もない。しかし、朝日は重要な問題でもあるように書いていくく

都内では、3度目の宣言解除から間もなく、リバウンドの傾向が見え始めたと書き、1週間平均でみても新規感染者数は720人（10日時点）まで上がり、宣言が解除された6月21日と比べて約330人増えた書く。千や万の単位ではなくわずか百の単位の変化を深刻そうに書くのである。

感染拡大が収まらないなか、見えてきたのが約2カ月ぶりの1千人超えだ。しかも、その上昇スピードは過去の波に比べても早く、第4波で再び1千人を超えるまでに要した約3カ月を大幅に上回るペースだと書いて、朝日は1千人越えが深刻なことであるようにイメージさせるのである。

7月14日

プロ野球オールスター・東京五輪日本代表強化試合はOK、オリンピックのみNOの矛盾

宮城県の東京五輪・サッカーの有観客に対して苦情電話やメールが殺到しているという。県医師会、仙台市医師会も無観客とするよう県に要望書を提出している。一方プロ野球は17日のオールスター戦を仙台市の楽天生命パーク宮城で収容人数の50%となる1万5600人を上限に開催する。また、24，25日の両日は東京五輪日本代表が同じく最大50%の観客を入れて強化試合を行うが、無観客を要求する電話はないという。オリンピックのサッカーの有観客に対してのみ苦情が殺到している。

オリンピックを有観客にすれば、他県からの人流が増大し、競技場の外で酒を飲んだり大騒ぎしてコロナ感染が拡大するというのが無観客を主張する理由である。でも、オールスターや五輪日本代表の強化試合も他県からやって来るからオリンピックと同じである。現在愛知県名古屋で行われている大相撲でも他県からやってくるファンは多い。オリンピックだけが他県からの人流が増大するというのは間違っている。宮城県医師会や仙台市医師会にそのことに対する見解を求めると、「要望書関連の取材は一切お断りしています」との回答だったという。

10、11日には楽天対西武の2連戦が行われ、楽天生命パーク宮城に計2万4881人が集まった。人流を呼び込むという意味ではむしろ、プロ野球の方がリスクは高いと言える。

無観客を主張する宮城のメディア関係者は、「五輪はプロ野球やJリーグとは違い、外国人関係者がやって来る。外国人関係者が外で飲み歩いた上にコカインをやったとして捕まった。欧米のロックダウンくらいの強制力がなければ、好き勝手やるのは目に見えている。県内がコロナの無法地帯に化すことを恐れているのです」と話したという。

外国人関係者はPCR検査を徹底してやり、コロナ感染を拡大することはない。それに少人数であるしならず者でもない。外国人関係者が感染拡大することはあり得ない。理由にならない理由を無理にでっち上げているのが無観客派である。

7月15日

無観客派の圧力に屈しないで踏ん張ってくれ宮城県

無観客派による宮城県への圧力が凄まじい。抗議の電話やメールは1300件に上り、県議会の野党4会派、県医師会、山形県の吉村美栄子知事、仙台市の郡和子市長などが無観客にするよう県に圧力をかけている。ボランティアは2020人から810人に減少している。もっと減少するようだ。

宮城県にとって厳しい状況であるが踏ん張って有観客開催を実現してほしい。そして、有観客がコロナ感染拡大しないことを実証してほしい。

プロ野球、サッカー、大相撲などが有観客でやっているがコロナ感染は拡大していない。コロナ対策を徹底してやれば有観客でもコロナ感染拡大をしないことは実証ずみである。しかし、無観客派は有観客をやめろと圧力をかける。無観客派の筆頭が医師会である。権威、政治力のある医師会の影響は大きい。医師会はオリンピックだけでなく音楽イベントにも圧力をかけた。そして、中止にさせた。

茨城県ひたちなか市にある国営ひたち海浜公園で、今年は8月7～9日と同月14・15日の5日間開催が予定されていたのが国内最大級の野外音楽イベントである「ROCK IN JAPAN FESTIVAL 2021」である。ロッキン運営サイドはコロナ対策としてステージの数を例年の7から1に減らし、参加者も半分以下にまで絞り、開催に向けて準備を進めていた。ところが開催まで1か月少しというタイミングで、茨城県医師会から中止の要請があった。それが中止の決定打となった。

医師会は有観客＝感染拡大である。だから感染拡大を防ぐには無観客か中止の二者択一である。有観客は認めないの医師会である。

医師会の主張が正しいか否かの判定が下るのが宮城県と静岡県の有観客である。無観客にする福岡県、北海道よりコロナ感染は拡大するのか。結果ははっきりと出る。有観客でもコロナ感染拡大しないことが実証されるだろう。

7月19日

新型コロナを鬼畜米英に仕立て上げて国民を恐怖の渦に巻き込む日本マスメディア

「国民の命を守るために五輪中止を」のキャンペーンが大々的に始まり、マスメディアもキャンペーンに参加しオリパラ中止を呼び掛ける報道をやった。マスメディアによって国民は新型コロナが拡大すれば多くの国民の命が失われると心に刻み込まれていった。東京オリパラを開催すればコロナ感染は急激に広がり、パンデミックになると信じた。

5月の世論調査で東京オリパラの再延期と中止が80％を超えた。「国民の命を守る」というメッセージが国民の心に強くしみこんでいったのである。

世論調査で再延期と中止が80％を超えたことをネットで知った時、私の脳裏に浮かんだのは戦前の「鬼畜米英」を信じさせたマスメディアのことだった。戦後のマスメディアは戦前に政府と一緒になって「鬼畜米英」を国民に信じさせたことを反省して、戦前のように政府の方針を無批判に報道するのではなく、政府が間違ったことをすれば批判するという政府に追従しない自由な報道を目指すようになった。

戦後のマスメディアは戦前のような「鬼畜米英」を国民に信じさせるような報道をするはずがないと多くの人は信じているだろう。だから私が、戦前の鬼畜米英を国民に信じさせたマスメディアのようであると思ったことに疑問を持つだろう。しかし、新型コロナを理由にオリパラに反対するマスメディアは民主主義国家であった米英を鬼畜のようにひどい国家だと国民に信じさせた戦前のマスメディアと同じである。マスメディアは新型コロナを恐ろしい感染病であると国民に信じさせた。そして、東京オリパラを開催すれば日本はパンデミックになり多くの国民が死ぬと信じさせたのである。マスメディアの巧みな嘘を信じたから80％以上の国民がオリパラ開催に反対したのである。

戦前、軍部が握った政府による鬼畜米英を国民に浸透させるのに大きく貢献したのがマスメディアであった。マスメディアが国民の心を洗脳する力は大きい。マスメディアは軍国主義に国民を洗脳していったといっても過言ではない。マスメディアの積極的な鬼畜米英報道によって国民に鬼畜米英思想が拡大したのである。戦前の米英は鬼畜のように恐ろしいと信じさせたように、今度は新型コロナは恐ろしい伝染病であると国民に信じさせたのである。

新型コロナは恐ろしい感染病であるとマスメディアに洗脳された国民はオリパラを開催すると日本はパンデミックになり多くの国民の命が失われ、コロナが日本から世界に拡散すると信じたのである。それは間違いである。日本は1日の感染者が1万人を超えたことがない。緊急事態宣言を発令すれば確実に感染者は1000人台に減少していった。政府のコロナ対策を冷静に理解すれば日本が感染爆発することはないことが分かる。オリンピックを開催してもパンデミックにならないのは確実である。しかし、マスメディアはオリパラを開催すればパンデミックになってしまうと国民に信じさせたのである。マスメディアは80％以上のオリパラ開催反対の世論をつくり上げたのである。

80％以上のオリパラ開催反対の世論と対峙してオリパラ開催を進めていったのが菅首相である。菅首相がオリパラ開催を進めることを、国民の反対を無視してオリパラ開催をするのは戦前の軍国主義独裁と同じだと菅首相を独裁者呼ばわりするジャーナリストも居る。

菅首相がオリパラ開催を進めたのはオリパラはコロナ感染爆発を起こさないという確信があったからである。そして、政府がコロナ対策をしっかりとやっていることを認識していたからである。そんな菅首相をコロナ対策をやらない怠慢で無能な首相であると非難したのがマスメディアである。

政府は安倍政権時代から優れたコロナ対策をしてきた。

日本には469の保健所がある。政府はクラスター対策班を設置して、全国の保健所でコロナ感染者が出ると濃厚接触職者を見つけて全員をPCR検査するように指導した。そして、感染者の感染経路を調べ、感染元のクラスターを見つけるとクラスターに居た全員をPCR検査をするように指導した。日本は保健所を中心としたコロナ対策によって感染拡大を防いだのである。しかし、クラスター対策だけで感染を押さえることは困難である。クラスター対策で感染を押さえることができなくなった時は非常事態宣言を発令して、感染を押さえた。濃厚接触者のＰＣＲ検査とクラスター対策は常に全国の保健所で実施している。ロックダウンをやらない日本が感染爆発を起こさず米国や欧州の国々より感染者が少ないのは全国の保健所でコロナ対策をしっかりと実施しているからである。日本独自のコロナ対策は他国に比べて成功したといっても過言ではない。

イギリスはロックダウンを解除し規制を緩和すると感染者が急増して５万人を超した。しかし、日本は４０００人以下である。１万人を超えたことは一度もない。日本はコロナ対策がイギリスより優れているから圧倒的に感染者が少ないのである。しかし、日本のマスメディアは政府のコロナ対策が優れていることを無視している。無視することによって政府のコロナ対策は無能であるように国民に印象付けている。政府の優れたコロナ対策を無視するマスメディアは国民をだましているのである。

菅首相は８月末までに希望するすべての高齢者へのワクチン接種を終えると発表した。コロナ感染死者のほとんどは６５歳以上の高齢者である。高齢者へのワクチン接種が進めばコロナ感染死者が減るのは確実である。感染者は増加しても死者は減ることは５月で分かっていたことである。実際に感染死者は減っていっている。６月始め頃は１００人の死者がでたが７月には１０～２０人台に減った。重傷者も６月２日には１２２７人だったが７月１６日は３７６人になった。重傷者が減ったということはこれからも死者は減り続けるということである。

菅政権は濃厚接触者のＰＣＲ検査、クラスター対策、高齢者ワクチン接種をコロナ対策の政策としている。菅政権の政策によってコロナ感染のパンデミックは起こらないし、感染死者も減っていく。それは５月には分かっていたことである。菅首相がオリパラ開催を決定したのはオリパラを開催してもパンデミックは起こらないし死者は減っていくという確信があったからである。しかし、マスメディアはオリパラを開催すれば感染爆発し、感染が拡大すれば死者が増大すると、戦前の鬼畜米英洗脳のように国民を洗脳してオリパラ恐怖症にしたのである。

オリパラ開催は決まった。感染が拡大し緊急事態宣言をする東京都は無観客にすることになった。感染者は増えたが高齢者ワクチン接種の効果があり高齢者の感染者は減り、死者も減っている。若者の感染が増えた。だから無症状、軽症の感染者が増えた。しかし、マスメディアは感染者が増えたことだけを強調する。感染者が増え、医療ひっ迫が起こり、死者が増えるというのがマスメディアの予想である。そして、連日コロナ感染が増えたことを深刻に伝えている。マスメディアは相変わらずコロナ感染恐怖を国民に吹聴している。

東京都モニタリング会議が新型コロナウイルス感染者が平均で約２４００人に達する試算を出した。それに対して政府高官が「それくらいなら大丈夫。（東京五輪の）中止はない」と発言したことを東京新聞が報じた。するとネット上では「開催中止の選択肢なし」がトレンドワードとなり、『「死して屍拾う物なし」と踏める』など憤る声があふれ、「コロナ重症で苦しんで亡くなって葬式も十分に出来なかった人や救急車での搬送先が無くて助かったはずなのに助からなかった人に直接言ってから、言ってほしいな」と反発する声や「オリンピックという麻薬の中毒になり、もはや正常な判断ができなくなってしまった日本政府」と政府批判が多かったことを中日スポーツは報じている。

「それくらいなら大丈夫」と政府高官が本当に言ったのか。マスメディアの得意とするのが言ったこと捻じ曲げて悪印象にすることである。「それくらいなら」の前後の言葉を明らかにすればその意味で使用していなかったことが明らかになるはずだ。

政府高官が２４００人の感染であるならオリパラを中止する理由にはならないと言ったことは確かだろう。「それくらいなら」発言の政府高官に反発した人々は感染＝死を信じているからであり、政府高官が死を軽視していると思い込んでいるから怒っているのだ。「国民の命を守るために東京オリパラを中止」というマスメディアのキャンペーンが国民に深く浸透している証拠でもある。

中日スポーツはオリパラ反対を拡大する目的でマスメディアに洗脳された人々の政府批判だけを報道するのである。マスメディアの報道のありかたが問われる問題である。

オリパラ推進派の菅首相とオリパラ反対派のマス

メディアの対立は戦前の軍国主義日本と連合の対立に似ている。オリパラ開催にバイデン大統領やジョンソン首相などG7首脳は賛成である。菅首相はG7首脳にオリパラ開催の賛成を得ている。オリパラ開催反対のマスメディアはオリパラ反対80%の世論と組んで菅政権批判を展開している。

強引な構図の設定ではあるかもしれないが、菅首相とマスメディアの対立は戦前の国際連合VS日本軍国主義のようである。菅首相は連合側でマスメディアは軍国主義側である

オリパラ開催はG7の首脳が支持している。菅首相はG7の一員である。マスメディアは新型コロナ感染を鬼畜米英のように国民に恐怖心を植え付けて反オリパラに結集させた。

17、18日に朝日新聞社が実施した世論調査(電話)で、この夏に東京五輪・パラリンピックを開くことの賛否を聞くと、賛成33%、反対55%であった。菅義偉首相が繰り返す「安全、安心の大会」には「できない」が68%に上っている。

マスメディアがでっち上げた「コロナ感染=死の恐怖」「オリパラは感染激増させる」を信じている国民が多いから開催反対が多いのである。オリパラ前哨戦はマスメディアによる鬼畜米英方式の国民洗脳が勝利した。

菅首相VSマスメディアの本当の戦いは7月23日のオリパラ開催から始まる。23日から国民は次第に本当のコロナ感染、オリンピックについて知っていくだろう。

オリンピックはコロナ感染を拡大することはない・感染者は若者が増え、高齢者は減る・だから死者は減る・オリンピック関係者の感染者はほとんどが無症状、軽症である・オリンピック関係者が国民に感染させることはない・緊急事態宣言によって感染者は減る。

マスメディアがでっち上げた嘘を国民が次第に知っていくのがオリンピックである。

マスメディア、医師会、専門家の圧力に負けて都を無観客にした菅政権である。オリンピックで有観客でも感染拡大しないことを実証してパラリンピックを有観客にすることが菅首相の次の戦いになる。パラリンピックの有観客を勝ち取るためにも静岡県、宮城県の有観客は意義がある。

7月20日

政府の優れたコロナ対策を国民に隠し続ける日本マスメディア

世論調査で政府のコロナ対策を「評価しない」は朝日が65%、毎日が63%、共同が64．2%である。国民の60%以上が政府のコロナ対策を評価していない。評価しないのは、ワクチンの供給不足や飲食店への対応など新型コロナウイルス対策の大失敗や東京五輪のゴリ押し開催があるとマスメディアは指摘している。

政府のコロナ対策が本格的に始まったのは去年の3月である。厚労省にクラスター対策班を設置してコロナ対策を実施してきた。マスメディアはクラスター対策班設置を無視した。そして政府のコロナ対策を評価したことは一度もない。常に批判をしてきた。PCR検査が遅れている。緊急事態宣言のような緩い規制では米国のようにパンデミックになる。緊急事態宣言で学校や会社を規制しないならコロナ感染は拡大する。緊急事態宣言発令が遅いなどとマスメディアは常に政府を批判してきた。

マスメディアの政府批判だけを見せつけられれば国民が政府を評価しなくなるのは当然である。日本政府のコロナ対策が大失敗しているのかそれとも成功しているかを確かめるには外国の感染状況と比べる必要がある。比べないで一方的に日本政府のコロナ対策は大失敗していると決めつけるのは間違っている。外国で日本より感染者が少ない国があればその国のコロナ対策を政府に要請すれば日本の感染者を減らすことができるだろう。感染者の多い国のコロナ対策はやらないように要請すればいい。

外国とコロナ感染を比較するのは必要である。しかし、日本のマスメディア、専門家が感染者数を比較して、日本のコロナ対策と外国のコロナ対策を比較したことはない。イギリスはワクチン接種が日本より進んでいる。ところがコロナ感染者は急増して5万人になっている。ワクチン接種が遅れている日本は3000人台である。イギリスより日本が感染者が非常に少ない。その原因を究明し、日本とイギリスのコロナ対策の違いを解明しようとするマスメディアはいない。解明すればイギリスのコロナ対策より日本のコロナ対策が優れていることが明らかになる。そうすると政府のコロナ対策を認めなければならなくなる。政府のコロナ対策は無策であると非難することができなくなる。日本マスメディアが一番避けたいことが政府批判ができなくなることである。

世界の国別の感染数である。日本は34番目である。表を見て分かるように35番以下の国々との差はほとんどない。日本は感染者が少ない国なのだ。

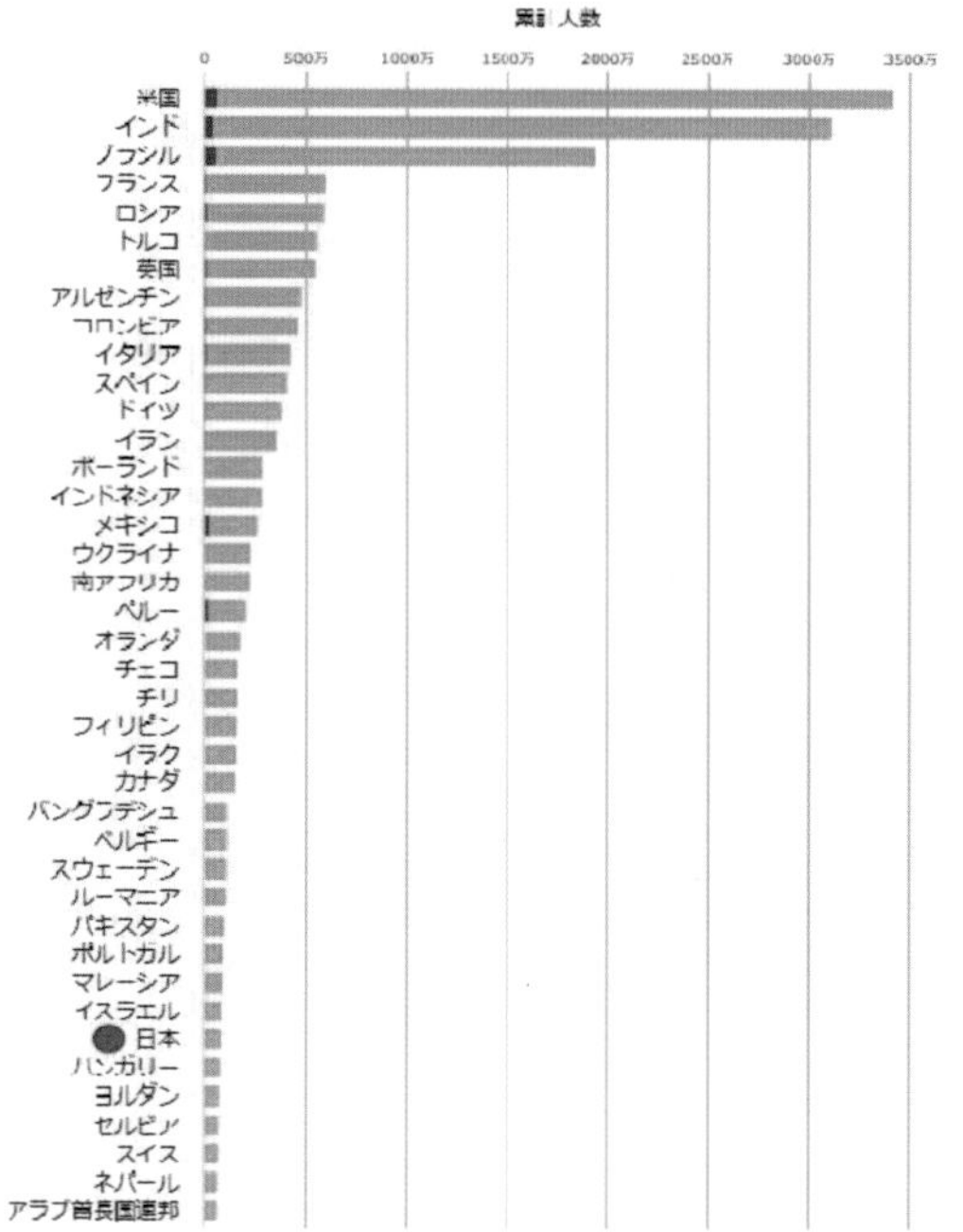

人口1億2000万人、経済世界第三位で人口密度も高い日本である。日本はロックダウンをしていないし、規制も厳しくない。それなのにコロナ感染数は少ない。奇跡である。今までにこの奇跡の原因を解明したジャーナリスト、専門家はいない。解明しようとするジャーナリスト、専門家もいない。彼らに解明できないことは去年明らかになった。

入国したオリンピック選手やスタッフに次々とコロナ陽性が判明している。選手村内でも陽性者が出た。マスメディアはオリンピックはコロナ感染を拡大していると報道し、政府のコロナ対策が無策であると批判している。東京五輪「コロナ制御」すでに破綻と報道するマスメディアもある。

オリンピック選手が感染したのは日本ではない。彼らの母国である。母国で感染したがPCR検査で陽性であると判明しなかった。日本のPCR検査で陽性が判明した。入国した選手は毎日PCR検査をしている。徹底したPCR検査で次々と陽性を見つけている。それはオリンピック本番には一人の感染者も出場させないという流れができていることの証拠である。このことを評価するべきである。優れた日本のコロナ対策でオリンピックパラリンピックが困難を乗り越えて無事に行われるのは確実である。

７月２１日

有観客の宮城県　五輪女子サッカー初戦　コロナ感染拡大しないことが実証される

オリンピックが始まった。福島県営のあづま球場で日本対オーストラリアのソフトボールの試合があり、日本が五回ゴールドで勝利した。残念なことに無観客試合であった。

宮城県の宮城スタジアムで有観客の女子サッカーの試合が今日行われる。ソフトボールとは違って有観客である。有観客はコロナ感染を拡大するか否かが実証されることになる。

４日前の１７日には宮城県の楽天生命パーク宮城でプロ野球オールスター戦があった。観客は１万５千人であった。有観客であったがコロナ感染は拡大しなかった。宮城県の村井知事は、

「プロ野球などでは観客を入れている」

としてオリンピックを有観客の開催に踏み切った。

医師会など無観客派はオリンピックと国内プロ競技は性質が違う。オリンピックは感染拡大すると主張し、無観客にするように圧力をかけたが村井知事は有観客の姿勢を崩さなかった。

宮城スタジアムで、サッカー女子予選リーグ「中国対ブラジル」の試合を皮切りに、サッカー男女合わせて１０試合が行われる。

村井知事が正しいか医師会などの無観客派が正しいかは２、３日では決着がつく。有観客でもコロナ感染が拡大しないことは確実である。村井知事が正しいことが実証されるのは間違いない。

今日の試合は夜７時からテレビ放映する。国民は有観客の試合を見る。国民が有観客でもコロナは感染拡大しないことの証人になる。

7月22日

日本の優れたコロナ対策がオリンピックを成功させる

　イギリスのコロナ感染者は5万人になった。アジアではインドネシアが5万人になった。世界の多くの国々ではコロナ感染が拡大するとあっという間に1万人を超え、数万人以上に達する。ところが日本は最高が7914人で8000人未満である。人口1億二千万人、人口密度が高く、世界第三位の経済大国の日本である。コロナ感染拡大の条件は米国、欧州と同じである。5万人10万人とコロナ感染が拡大してもおかしくない日本である。しかし、最高が7千人台である。日本のコロナ感染が低いのは日本政府のコロナ対策が他国より優れていたからである。コロナ対策のひとつに感染者との濃厚接触者を見つけてPCR検査をするシステムがある。

　コロナ感染者が見つかった時、感染者と濃厚接触した人を探し、全員をPCR検査するのを政府は去年の3月から全国の保健所で徹底してやっている。濃厚接触者のPCR検査はコロナ感染拡大を防ぐのに効果がとても大きいのである。世界の国々より感染者が少ない原因の一つに濃厚接触者にPCR検査をしたことがあげられる。

　濃厚接触者の中の無症状者をPCR検査をしなかった県がある。沖縄県である。沖縄県専門家会議は去年の8月に濃厚接触者であっても無症状であればPCR検査をしないと決めた。沖縄県は国の方針に従わなかった。新型コロナの感染力が強い原因のひとつが無症状でも感染力は強いことである。若者は行動力がある。無症状の若者は感染を広めやすい。だから、無症状であってもPCR検査をしなければならない。しかし、沖縄県の専門家会議は無症状者はPCR検査しないと決めた。その結果、当然のことではあるが沖縄は東京都を抜いて全国でトップの感染率になった。濃厚接触者を全員PCR検査をしていればこれほどまでにコロナ感染が増大することはなかったはずである。沖縄のコロナ感染が増大した原因は濃厚接触者の中の無症状者をPCR検査しなかったからである。濃厚接触者全員をPCR検査することが感染拡大を防ぐことを沖縄は証明したということになる。

オリンピックでは選手、スタッフ全員を毎日ＰＣＲ検査しているが、それだけではない。感染者が見つかった時には感染者との濃厚接触者を見つけすぐに隔離している。隔離した後にＰＣＲ検査をする。感染していても体内のコロナ菌が少ない時はＰＣＲ検査しても陽性反応しない場合がある。だから、隔離を優先させるのだ。

次々とコロナ感染者が見つかっているが、徹底してコロナ感染を見つけるシステムがあるからである。

政府のコロナ対策によって感染を見つけていくからオリンピックの試合に出る時の選手は一人も感染者はいないだろう。試合に出る前に感染した選手であれば感染を見つけられ隔離されている。だから、出場する選手、スタッフにコロナ感染者はいない。つまり競技場内はコロナ感染がゼロの世界になる。感染ゼロの世界で選手たちが競うのである。

毎日のＰＣＲ検査、濃厚接触者の隔離が感染ゼロの世界をつくり上げるのである。

政府が濃厚接触者の隔離・ＰＣＲ検査をするのは去年の２月に横浜港に寄港したクルーズ船ダイヤモンド・プリンセス号を沖に停泊させた時から始まっていた。政府は健康な客さえ下船させなかった。乗船者全員を濃厚接触者と見なしたからである。ＰＣＲ検査に時間がかかり、健康であった人がコロナに感染し感染者は増え、死亡者が増えていった。感染が拡大し死者が増えているのは政府の責任であると国内外から政府は非難された。非難が激しくなっても政府は全員をＰＣＲ検査して陽性は入院、陰性は下船の方針を曲げなかった。政府は「感染者は一人も下船させない」の方針に徹していたのだ。

ＰＣＲ検査をしないで健康な人を下船させたイタリアではパンデミックが起こった。非難されていた日本であったがイタリアのパンデミックやクルーズ船のコロナ感染が増えると、日本の下船させなかったコロナ対策は見直されていった。

濃厚接触者全員をＰＣＲ検査する方針を日本政府は去年の２月にはすでに決めていてダイヤモンド・プリンセス号に実施したのである。

選手を毎日ＰＣＲ検査するだけでなく、感染者の濃厚接触者を隔離することでコロナ感染した選手が競技に出場しないことは確実である。残念ながら政府の濃厚接触者のＰＣＲ検査を正しく評価していない専門家、ジャーナリストは多い。

バッハ会長は先週、検査とプロトコルの体制により大会参加者が日本在住者に感染させる危険性は「ゼロ」と述べたことに対して元キングズ・カレッジ・ロンドン公衆衛生研究所所長の渋谷健司氏はオリンピック関係者内部からさらに感染が広がる危険性があると反論している。渋谷氏が反論の根拠にしているのが「バブル方式」の破綻である。バブル方式とはオリンピック関係者と一般人を遮断することである。しかし、日本に行く機内で一般人と選手が近かったり、空港ロビーなどでもちゃんとした距離がつくれなかった。だからバブル方式は破綻しているし、一般人から感染する可能性を渋谷氏は指摘している。一般人から感染した選手によって内部から感染が広がるというのである。

渋谷氏が反論できるのは毎日選手をPCR検査することと、感染した選手の濃厚接触者を隔離してPCR検査することを無視しているからである。選手は毎日PCR検査をする。感染していれば陽性となる。選手は隔離され、濃厚接触者も隔離されPCR検査をする。外部で感染しても内部で処理するシステムができているから内部で感染が拡大することはないのがオリンピック内部システムである。

渋谷氏は「最大の懸念は選手村や一部の宿泊施設でのクラスター発生や、地元民との接触だ」と述べている。クラスター発生はあり得るだろう。重要なことはクラスターをすぐに見つけることができるかである。オリンピック関係の施設でクラスターが発生すればすぐに見つけることができる。だから、PCR検査をして陽性者は隔離すればオリンピック競技に感染した選手が出場することはない。

報道陣との接触、選手村や会場内で空気感染が起こったとしてもすぐに見つけることができるから渋谷氏の懸念は無駄な懸念である。

選手や関係者の感染は相次いでいる。しかし、ほとんどは母国で感染したものである。日本国内で感染したのではない。本国で判明しなかった感染が日本で判明しただけである。五輪をきっかけにした感染拡大への不安は拭えないというマスメディアは政府のコロナ対策を理解していないからである。試合する選手に感染者はいない。それが真実である。

日本の優れたコロナ対策がオリンピックを無事に進行させていく。

7月28日

オリンピックが感染拡大させないことがはっきりした

オリンピック開催中の東京都のコロナ感染が2848人、3177人と2日連続で過去最多を記録した。驚異的なコロナ感染拡大である。しかし、今回の感染拡大はオリンピッが原因であると指摘する専門家はいないし報道するマスメディアもない。変である。

専門家、マスメディアは東京オリパラ中止を主張し続けていた。理由はオリパラがコロナ感染を拡大し日本をパンデミックに陥れるということだった。菅首相は専門家、マスメディアの忠告を聞き入れないで東京オリピックを開催した。すると開催4日後に東京都は過去最多のコロナ感染を記録したのである。

「感染拡大したのはオリンピックの性だ」と指摘して専門家、マスメディアが大騒ぎするはずなのにしない。なぜか。理由は一つ。今度の過去最多のコロナ感染はオリンピックとは関係がないことがはっきりしているからである。オリンピックが感染拡大させると主張し続けていた専門家、マスメディアであったが今回の感染拡大はオリンピックとは関係がないことを認めざるを得ないということである。開催4日間でオリパラはコロナ感染拡大をさせないことがはっきりしたのである。

無観客の東京都は過去最多のコロナ感染者を出したのに有観客の宮城県のコロナ感染者は26人である。他県よりも少ない。

他県知事や医師会が新型コロナウイルスの感染拡大を招くとして無観客にすることを要求したが、村井知事は圧力に屈しないで有観客を実施した。

○プロ野球のオールスターゲームは仙台の中心部で1万5000人の観客、しかもお酒が飲めた。しかし、感染拡大はなかった。

○侍ジャパンの強化試合が仙台の中心部(楽天生命)で1万5000人の観客を集めて行われたが感染拡大はなかった。

プロ野球もオリンピックも同じである。有観客で感染拡大はなかっのだからオリンピックもないはずであるという考えから、村井知事は確信をもって有観客にしたのである。有観客の競技は行われた。その結果コロナ感染は起こらなかった。村井知事の判断は正しかったのである。

村井知事が正しいということは無観客を要請した専門家、医師会、他県の知事は間違っていたということである。専門家とは感染症専門家のことである。感染症の専門であるのに有観客でも感染はしないのに感染するとコロナ感染について間違った判断をしたのである。つまり感染症の専門家でありながらコロナ感染については無知であることが判明した。過去の感染症とは違う性質の新型コロナについて知らないのが日本の感染症専門家である。これが日本の専門家の実態である。

オリパラを開催すれば新型コロナ感染が蔓延してパンデミックが起こるという専門家やマスメディアの嘘を信じさせられたのが国民である。国民はオリンピックを体験することによって、専門家やマスメディアが嘘を振りまいていたことを次第に分かっていくだろう。そして、多くの国民がオリパラ開催に賛同するようになるだろう。

オリパラとは関係がなく都のコロナ感染が拡大した。オリンピックが都に感染拡大させることを防ぐよりも選手を東京都のコロナ感染から防ぐことが今後のコロナ対策となる。日本の感染専門家はコロナが日本に入って来た時から間違いだらけのコロナ感染予想を繰り返している。それに感染専門家でありながら効率よくコロナ感染を防ぐ方法を提案したことがない。今回もコロナ感染が拡大することは予想したが感染を防ぐことは提案していない。感染症専門家というより感染予想屋である。

無観客の都のコロナ感染拡大はオリンピックとは関係ないし、宮城県で有観客が感染拡大しないことははっきりした。ならば都も有観客にするべきである。無観客にしていることは非科学的な嘘がまかり通っているということである。許されないことである。感染専門家、医師会、マスメディアの嘘がまかり通っているのが東京都の現実である。

感動が一杯詰まった素晴らしい東京オリパラを潰そうとしたのがマスメディア、専門家、医師会である。三者はオリパラの価値を軽視している。

7月30日

適切なコロナ対策を助言できない無能な日本の専門家

厚生労働省に新型コロナウイルス対策を助言する専門家組織「アドバイザリーボード」（座長＝脇田隆字・国立感染症研究所長）が28日に開かれた。専門家によるコロナ対策の助言を目的とした会合であるからどうすればコロナ感染を防げるかの助言をしたと思うだろう。しかし、そうではなかった。

「アドバイザリーボード」は東京都、神奈川県、千葉県県、埼玉、大阪府などの感染状況は「これまでにない急速な感染拡大になっている」と指摘しただけである。感染については厚労省が感染状況を公表するのだから専門家の指摘がなくても分かることである。厚労省に必要なのは感染情報ではなくコロナ対策である。ところが専門家組織が感染状況に続いて指摘したのは、東京では感染増加が続いており「一般医療への影響が生じている。通常であれば助かる命も助からない状況になることも強く懸念される」と医療ひっ迫になる恐れを指摘している。医療ひっ迫させないために厚労省はどのようにすればいいのかを助言するのではなく、このような状況になるのは「危機感を行政と市民が共有できていないのが最大の問題」と指摘しただけである。指摘するだけでは専門家として失格である。危機感を行政と市民が共有する方法を助言するのが専門家としてやらなければならないことである。しかし。助言はしないで「危機感を行政と市民が共有できていない」と指摘するだけで終わっている。失笑ものである。

私が厚労省に助言するなら、

1感染経路不明を減らすために調査員を増やせ。

2酒提供の飲食店に対してもっと厳しく取り締まれ。

の2点である。

感染急拡大の原因に感染経路不明がある。感染経路が不明であるということは感染させた人が分からないということであり、感染させた人が感染者を増やしているのを防ぐことができないということである。感染経路を明らかにするということは感染拡大を防ぐことに有効である。だから、感染経路調査員を増やして、感染経路不明を減らしていけば感染拡大を防ぐことになる。

酒提供の飲食店の問題は酒を飲む人は数件以上の店をはしごする傾向にあり、感染してもどの店で感染したか分からないからクラスターを見つけることが難しい。飲食店で感染した時は感染経路不明になるケースが多い。それに酒を提供する飲食店の店員は若い人が多く、無症状、軽症が多い。ＰＣＲ検査を受ける割合が低い。それに感染していたら仕事を休まなければならないからＰＣＲ検査を避ける傾向にある。コロナ感染拡大を防ぐには飲食店が規制を守るように厳しく取り締まる必要がある。

感染症専門家ならこのようにコロナ感染拡大を防ぐ方法を政府に助言するべきである。ところが政府に助言する専門家会議アドバイザリーボードはコロナ対策を具体的に助言するのではなく「危機感を行政と市民が共有できていないのが最大の問題」と医学的な助言ではなく精神的なことを問題にしている。「通常であれば助かる命も助からない状況になることも強く懸念される」のであればそうならないためのコロナ対策を政府に助言するべきであるのに行政と市民が危機感を共有できていないのが最大の問題であると政府を批判するだけである。専門家にはコロナ感染拡大を防ぐアイデアがないのだ。だから政府批判に転換してコロナ対策に無能であることを隠しているのである。

分科会の会長である尾身氏も同じである。「今の最大の危機は社会一般の中で危機感が共有されてないこと。このまま危機感が共有されなければ、この感染状況は、さらに拡大します」と尾身会長は明言している。新型コロナは感染症である。コロナ問題は医学の問題である。それなのに医学者である専門家が医学の視点から問題にするのではなく、精神的な問題にすり替えている。

若者にとって新型コロナはインフルフンザよりも軽い感染症である。若者が新型コロナに平気になるのは当然である。多くの若者はコロナ感染に危機感はない。そんな若者に危機感を共有させることは困難である。危機感が共有されていないことを問題にする尾身会長なら若者と危機感を共有する方法を政府に提案する義務がある。提案しないで一方的に政府に一般との共有を要求する尾身会長は傲慢というしかない。

傲慢な尾身会長は嘘つきでもある。参院内閣委員会の閉会中審査会という公の場で堂々と嘘をつく。

「医療のひっ迫は始まって、実際に救急外来、救急車のたらい回しがすでに起きている」と強調した。

6月には重傷者は1200人を超え、死者も100人に達していたが、現在は重傷者は500人、死者は10人程度まで減っている。そして、東京都は死者が4日間0人になったこともあるくらいに重傷者も死者も減っている。医療はひっ迫していない。死者が減っている原因は高齢者へのワクチン接種が進んだからだ。都の高齢者の感染率は15%から3%へと激減している。感染死者は確実に減った。医療ひっ迫は起こっていないし、救急車のたらいまわしもないのが現状である。

専門家で分科会の会長でありながら、公の場で医療ひっ迫をでっちあげて嘘つく尾身会長である。

菅首相は政治家であって感染症専門家ではない。感染症である新型コロナの対策は専門家が立てるべきである。ところが尾身会長の分科会とアドバイザリーボードにはコロナ対策を立てる能力がない。行政にとって必要のない分科会、アドバイザリーボードである。

コロナ感染拡大を防ぐための医学的提案ができない「アドバイザリーボード」の岡部信彦座長がなんと「一般医療にしわ寄せがいくような状況になれば(東京オリパラ)大会の中止も検討するべき」と発言した。専門家たちにはコロナ感染の爆発的な拡大は当然であるようだ。

中止する理由は、「選手の人と一般の人が同時に、例えば入院しなくちゃいけない時に選手を優先というよりも重症度を優先すべきだ」から選手と一般の人の二者択一になるようならオリンピックを中止するというのである。

岡部座長は新型コロナの性質を知らない。若くて健康であり選手が重症になるのはあり得ない。無症状か軽症である。だからコロナに感染しても隔離するだけで入院する選手は非常に少ない。隔離期間を終えた選手は競技に復帰している。そもそも選手と一般の人と二者択一をしなければならないほどのパンデミックになることは絶対にない。

オリパラは徹底したコロナ対策をしているし、国内はワクチン接種、緊急事態宣言、蔓延防止等重点措置で感染拡大を押さえる方向に向かっている。

コロナ対策の先鋒に立ちながら無能振りを露呈している専門家たちである。

8月1日

有観客宮城県の奇跡

コロナ感染が初めて1万人を超えた。過去最高の感染である。東京都も4000人を超えた。都はオリンピックを無観客で開催している。無観客の都が過去最大の感染拡大をしたのだから有観客の宮城県も過去最大の感染をしたのだろうと思うのが普通である。ところが宮城県の31日の感染は65人である。宮城県は3月31日の感染者が200人であった。3～4月には100人以上が20日もある。無観客の都が過去最大の感染をしたのに有観客の宮城県は過去最大の感染の3分の1以下なのだ。無観客の福島県は83人、小学生のみに観戦させた茨城県は172人、まだオリンピックを開催していない北海道は283人ある。

無観客の都道県より有観客の宮城県のほうが感染者が少ないのは奇跡である。オリンピックがコロナ感染させないことを宮城県がまたもや実証したのである。しかし、この事実を報道するマスメディアはひとつもない。報道すれば有観客でもコロナ感染しないことを国民に広げるからだ。開幕前にオリンピックは感染拡大するから中止しろと盛んに報道したのがマスメディアである。宮城県のことを報道すればマスメディアは自己否定することになる。だから報道しない。

宮城県の有観客を河北新報は報道した。

「首都圏の1都3県や福島県営あづま球場(福島市)などの会場が無観客となる中、有観客の宮城では21日から6日間で1次リーグ女子の日本－チリなど男女計10試合が行われ、計1万9300人が入場した」

河北新報は有観客でもコロナ感染は拡大しなかったことは報道していない。招致の大義名分として使われたのが「復興」五輪であったが、震災の記憶を伝える語り部活動の会場への来場者が少なかったことを問題にしている。そして「こっちが宣言したのではなく、国が勝手に言っただけ」という関係者発言を引用し、「国には責任を感じてほしい」と国を批判している。来場者が少ない原因はマスメディア、専門家、医師会が有観客はコロナが爆発的に感染すると国民を信じさせたからだ。しかし、河北新報は国の責任にする。それがマスメディア体質である。

8月3日

「五輪＝パンデミック」から「五輪は盛り上がる」にマスメディアの風向きの変わり様には呆れる

東京五輪を開催すればコロナ感染が激増し日本はパンデミックに襲われて多くの国民の命が失われる。国民の命を守るために東京五輪を中止しろというのがマスメディアの主張であった。国民もマスメディアの報道を信じて８０％の国民が今年の五輪開催に反対した。圧倒的な国民が反対する状況にありながら菅首相は２３日に東京五輪を開催したのである。

開催してはっきりしたのはマスメディアが予想し国民が信じていたパンデミックは起こらなかったことである。それだけではない。パンデミックが起こると主張してきたマスメディアが予想していなかった異変が起こった。なんとオリンピック開会式のテレビ視聴率が５６．４％という高視聴率を確保したのだ。マスメディアの主張するオリンピック＝パンデミックを信じていた国民であったのにオリンピックが始まるとオリンピックへの関心が高まったのだ。

オリンピック開催が高視聴率を確保した途端にマスメディアの態度がころっと変わった。オリンピックがパンデミックを起こすとは一切言わなくなった。実際にパンデミックは起こっていない。パンデミックが起こると報道すればマスメディアの嘘つきと国民は思うだけである。

それからのマスメディアは奇妙な報道をするようになった。「菅首相は、五輪は絶対に盛り上がる。そうすれば政権批判の風向きも変わると考えている。菅首相はオリンピックを政治利用しようとしている」と報道するようになったのである。パンデミックが起こるのに東京五輪を開催する菅首相を独裁者と批判していたのに、五輪の盛り上がりを政治利用している菅首相に仕立てて批判するようになった。

五輪が盛り上がるにはパンデミックが起こらないことが大前提である。パンデミックが起これば五輪は盛り下がり菅政権は解散しなければならない。官房長官時代から政府のコロナ対策をしっかりと見てきた菅首相だからパンデミックは絶対に起こらないという確信があった。だからオリンピックを開催したのだ。右往左往するだけのマスメディアよ。

5月28日

オリパラ反対の理由を見事に崩したプロスポーツ界の観客動員

プロ野球はセパ両リーグの交流戦に入った。プロ野球ファンの熱はますます熱くなってきた。

プロ野球も大相撲も写真のように観客を動員している。サッカー、プロバスケットも観客動員をしている。プロスポーツの観客動員を参考にすればオリパラの観客動員をどうするか決めることができる。

今のところ、プロスポーツの観客動員でコロナ感染が拡大したという報告はない。コロナ対策をやり、観客を制限すればコロナ感染拡大を防ぐことができることをプロスポーツは証明している。スポーツの観客動員方法を参考にすればオリパラでも観客動員はできるということである。

オリパラを開催すればコロナ感染が拡大しパンデミックに陥り、医療は崩壊し、死者が増える。だから「国民の命を守る」ためにオリパラ開催するながオリパラ中止派の主張である。

しかし、プロ野球、大相撲、サッカーなどのプロスポーツでは観客を動員してもコロナ感染が拡大することはないことが判明したのである。オリパラでもしっかりとコロナ感染対策をすれば観客を動員しても感染拡大は起こらないことがプロスポーツが実証したのである。

この事実をマスメディアは国民に知らせるべきだが、オリパラ中止を主張してきたマスメディアはまだ知らせていない。知らせるのを避けている。しかし、国民が知るのは時間の問題である。

「菅首相はまだ観客動員にこだわっている」などと菅首相を批判しているジャーナリストがいるが笑ってしまう。プロスポーツが観客動員していることを知らないからそんなことを言うのである。ジャーナリスト失格である。

オリパラ開催に反対する理由のひとつを日本プロスポーツ界が見事に崩した。

8月16日

日本の感染症専門家は新型コロナに対して素人である　彼らは適切なコロナ対策ができない

コロナ問題でバカバカしいのは専門家と呼ばれているほとんどの医師や学者がコロナ感染について無知であることである。

医療の専門家である医師がコロナ感染について無知であることを東京都のモニタリング会議で明らかになった。

新型コロナの感染はインフルエンザのように場所を問わず人から人に感染するのではない。感染を調査した厚労省は多くの感染者は周囲に感染させていないことを知った。一部の特定の人から多くの人に感染させているのが新型コロナの特徴である。感染する場所はライブハウス、トレーニングジムなどの密室空間であることも判明した。

北海道で高齢者のコロナ感染者が増えた時に、感染場所がカラオケボックスであることを見つけたのは厚労省のクラスター対策班であった。

密室空間で感染するのが新型コロナである。感染者が吐く息だけでなく手などの肌が触れ合う時も感染することが分かった。直接触れないでタブレットなどの機器を介して肌が間接的に触れることでも感染することが厚労省のクラスター対策班によって明らかにされた。

新型コロナは外界で空気が流れている場所では感染はほとんどしない。厚労省のコロナ感染調査を参考にして感染しないようにしたのがプロ野球、サッカー、大相撲などの有観客である。

専門家であるならコロナ感染ついて熟知しているのが当然であるはずである。しかし、このことを知らない専門家が圧倒的に多い。東京都のモニタリング会議で専門家でありながらコロナ感染について無知であることが明らかになった。国立国際医療研究センターの大曲貴夫氏は都のモニタリング会議で、「競技場の周辺や沿道に多くの人が集まり応援する姿が見られた」と言及したというのである。これはマスメディアが感度も取り上げたことである。密集すれば感染するというのは誰もが先入観として持っている。だから、コロナ感染に専門ではないマスメディアがオリンピックは感染拡大させるというイメージをつくり上げるのに利用したのである。マスメディアの報道を信じた市民も多いだろう。密室ではない競技場外ではコロナは感染しない。北海道、静岡県では路上に観客が密集したが感染が拡大したという事実はない。都の感染拡大と競技場外の密集は関係ない。

大曲氏は専門家である。市民やジャーナリストではない。専門家であるなら競技場周辺の密集が感染拡大したと主張するならそのことを証明しなければならない。しかし、大曲氏は競技場の周囲に多くの人が集まったことが感染拡大をしたという医学的な証明は全然やらなかった。静岡県や北海道ではオリンピック競技で東京以上に路上密集があったがそのことが原因で感染拡大したという事実はない。専門家であるなら東京以外の密集とも比べるべきである。ところが大曲氏は専門家としての調査はなにもしないで競技場の周囲の密集が感染拡大したとイメージだけで主張したのである。専門家がやるべきことではない。専門家の顔をした素人だと言われても仕方のないことである。ド素人の大曲氏は小池都知事から厳しいしっぺ返しを食らった。

小池都知事は「印象論でおっしゃっている。こちらは人数がどうだったか確認している」と反論した。

都の調査では、7月上旬に比べて1時間あたり最大で約3700人増えたが、大会期間中を通してみると、大会前よりも最大で約3500人減少していた。お台場近くの聖火台では、平日の午後8時台は大会前に比べて約400人増えたが、休日の正午は約1千人減少していた。首都高の変動料金制度など交通需要マネジメントが人流抑制に役立ったとし、小池都知事は実質的には人数は減っていたことを述べ、「エピソード（出来事）ベースではなくエビデンス（証拠）ベースで語ることが重要だ」と大曲氏の主張を一蹴した。これが都の専門家の姿である。

東京都のコロナ感染にアドバイスをするモニタリング会議の専門家であるならば都に適切なアドバイスをするのが責務である。ところが大曲氏は適切なアドバイスはしないでド素人のマスメディアと同じような発言しかしないのである。モニタリング会議員として失格である。

コロナ感染がどんどん拡大していくと指摘する専門家は多い。しかし、感染拡大を防ぐ方法を具体的に提案する専門家はほとんどいない。

　感染症学専門の国際医療福祉大の松本哲哉主任教授は、全国で1日2万人の感染者が出て、災害レベルの状況であるのにこれを政府がこのまま国会も開かずに具体的な策もせずに見ていくのであれば結局、人災と言わざるを得ないじゃないかと思います」と述べた後に、「早急に具体的に何らかの感染を抑える方の策もしっかり対応していただきたい」と政府に要求した。コロナは感染病である。感染専門家ではないのだ。コロナは感染病である。感染専門家ではない政治家に対策を考えることはできるはずがない。それなのに専門家である松本氏は自分は感染対策を考えないで政府に考えるように要求したのである。主客転倒ではないか。

　厚生労働省の専門家会議（アドバイザリーボード）のメンバーで公衆衛生が専門の、国際医療福祉大学の和田耕治教授は「これがいつか起こると恐れていたオーバーシュート（感染爆発）です。ここがピークかもわかりません」と危機感を募らせた。政府のアドバイザーである専門家が政府にコロナ対策のアドバイスをしないで、危機感を募らせるだけである。全然アドバイザーの役目を果たしていない。


“８割おじさん”の京都大の西浦博教授は得意の実行再生産数で東京の感染者数が8月下旬には1万人を上回るとの試算を出している。試算を出すだけである。コロナ対策は出さない。

　専門家の中でコロナ対策を唯一出したのが分科会の尾身会長である。尾身会長は東京都の人流を5割削減することを提案した。都民に感染削減をお願いしても効果はないし、緊急事態宣言しても効果はないと尾身会長はいい、5割削減すれば間違いなく結果は出ると断言している。

　5割削減すれば感染削減はできるかも知れない。肝心な問題はどうすれば5割削減できるかである。尾身会長は5割削減を実現するにはどうすればいいかの提案はしなかった。それでは5割削減は実現できるはずがない。それは政府が考えろということか。どうすれば5割削減できるかの策がないのに尾身会長は5割削減を提案したのである。政府にも都政にも都民に人流5割削減を強制する権限はない。お願いすることしかできない。お願いで5割削減が実現するか否かは神のみぞ知るである。尾身会長は実現しそうにもない提案をしたのである。尾身会長の提案は机上の理論である。立派な提案のように見えるが無責任な提案である。机上の理論を振りまく尾身会長は専門家らしいと言えば専門家らしい。

新型コロナは感染病である。感染病を研究し対策を考えることができるのは感染症専門家である。感染病に素人である政治家が感染対策を考えることはできない。政治家は専門家のいくつかの提案を検討して、いいと思う提案を採用し実施する。これが政治家と専門家の関係である。ところが日本の多くの感染症専門家は新型コロナについて色々発言をするがコロナ感染対策の提案は無しである。奇妙な日本の政府と専門家の関係である。

政府のコロナ対策は菅首相などの政治家が考え出したのではない。感染専門家が考えたコロナ対策である。

去年、安倍政権の時に政府は東北大学の押谷教授のコロナ対策を採用して、2月に厚労省にクラスター対策班を設置した。政府のコロナ対策はクラスター対策班の考えを基本としている。

ＮＨＫの番組でクラスター対策班のドキュメントがあり、押谷教授などクラスター対策班のメンバーが深刻な表情で真剣にコロナ対策に取り組んでいる姿を見てクラスター対策班に興味が湧いた。押谷教授はほとんど一睡もしないで取り組んでいた。あの頃は絶対に国内にコロナ感染を拡大させないという意気込みあると同時にそれは困難を伴う作業であることをクラスター対策班のメンバーは自覚していた。コロナ対策にこんなに真剣に取り組んでいる人たちがいることに驚きと感動があった。

押谷教授の新型コロナ論文を読み、クラスター対策班のコロナ対策に注目しながらコロナ感染の様子を見てきた。

ネットでは外国のコロナ対策や感染者数、死者数も分かる。欧州のロックダウンと日本のコロナ対策の効果を比較することができる。日本のクラスター対策は経済を維持した上で感染をロックダウン並みに押さえることや、日本政府には外国のように規制や罰金などの権力がないことも知った。そんな政府が権力の強い外国政府よりもコロナ対策に優れていることはすごいことである。

残念ながら日本のマスメディアは政府のクラスター対策を無視するし、専門家は政府のコロナ対策を理解する能力がない。

厚労省が発表したコロナ対策表である。

新型コロナウイルス感染症　クラスター対策による感染拡大防止

新型コロナウイルスの特徴

多くの事例では感染者は周囲の人にほとんど感染させていない
その一方で、一部に特定の人から多くの人に感染が拡大したと疑われる事例が存在し、
一部の地域で小規模な患者クラスター（集団）が発生

対策の重点＝クラスター対策

クラスター（集団）発生の端緒を捉え、早期に対策を講ずることで、今後の感染拡大を遅らせる効果大

①患者クラスター発生の発見
医師の届出等から集団発生を早期に把握
↓
②感染源・感染経路の探索
積極的疫学調査を実施し感染源等を同定
↓
③感染拡大防止対策の実施
濃厚接触者に対する健康観察、外出自粛の要請等
関係する施設の休業やイベントの自粛等の要請等

いかに早く、①クラスター発生を発見し、
③具体の対策に結びつけられるかが
感染拡大を抑え事態を収束させられるか、
大規模な感染拡大につながってしまうかの
分かれ目

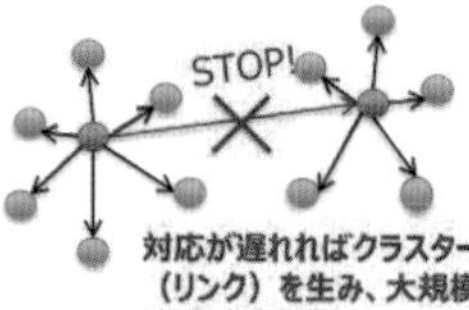

対応が遅れればクラスターの連鎖（リンク）を生み、大規模な感染拡大につながる

新型コロナウイルス感染症　クラスター対策による感染拡大防止

クラスター対策の課題

地方　←　連携　→　**国**

今後、小規模なクラスターが散発的に発生してくる中で、発生自治体のみでの対応には限界

対象自治体がクラスター発生時に短期集中的な対応を躊躇なく進められるよう、政府として省庁横断的な支援施策をとりまとめ、最大限支援

①専門的知見の拡充
集団発生有無の判断、疫学調査に基づく感染源の同定等には専門的知見が不可欠

②対応人員の拡充
積極的疫学調査等を短期集中的に実施するために多くの人員を投入することが必要

③地域経済へのダメージ
感染防止対策を講じることによる地域経済へのダメージを最小限にすることが必要

《厚生労働省》

クラスター対策班
(2/25設置)

感染研、東北大、北海道大学等の研究者
・地域に出向いて状況を把握
・地域でのクラスター特定と協力要請の実施協力
・データ集計
・データ分析、対応検討・評価

《関係省庁》

支援策（例）
・研究者等の協力
・国職員の現地派遣
・対象となる事業者等への支援策の検討
・テレワーク等の推進
など

今後の進め方

既にクラスターが発生している都道府県と連携し、速やかに対応に着手
課題の洗い出しを行いつつ、成果につなげ、さらに全国展開

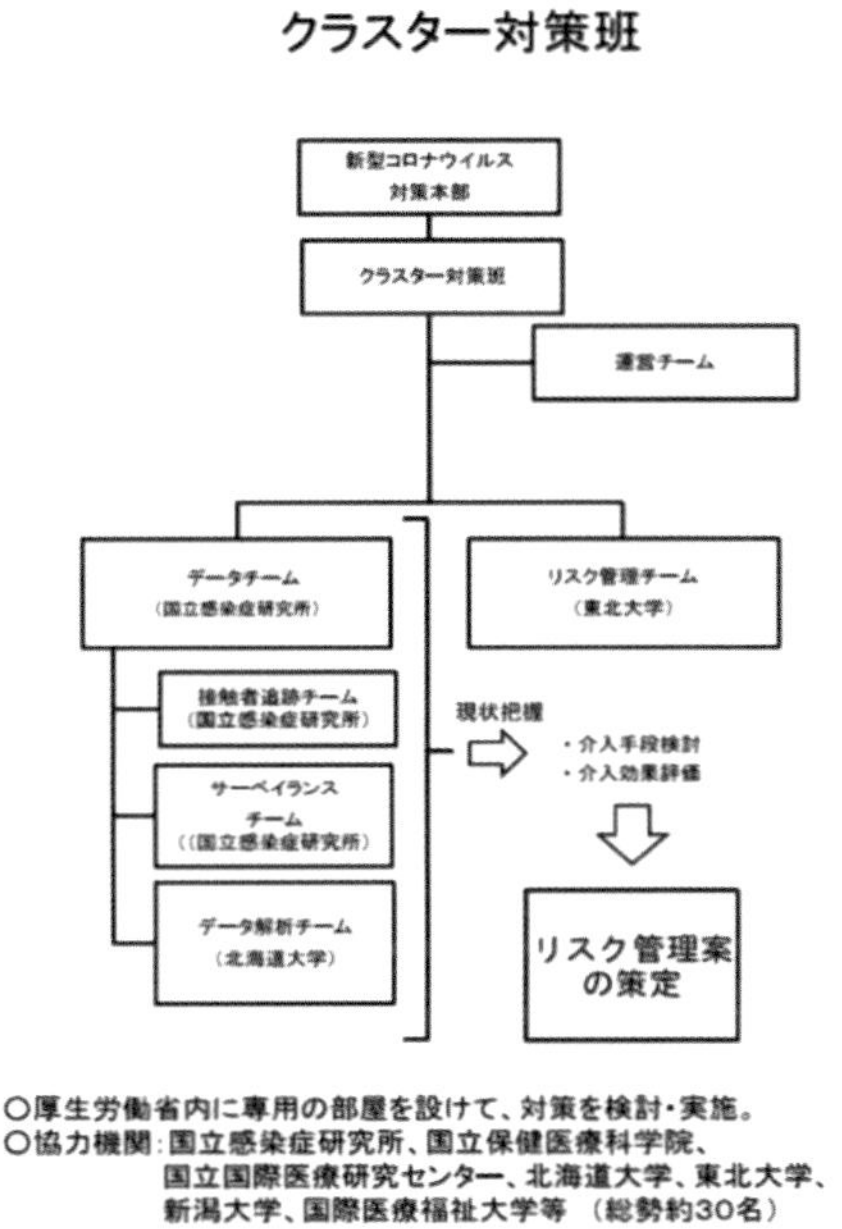

　厚労省が強調しているのはクラスターを見つけることである。感染者が居たら感染経路を辿ってクラスターを見つけ、クラスターにいた人をＰＣＲ検査して感染者を見つける。これがクラスター潰しである。感染経路が分からないとクラスターを見つけることができない。感染経路不明が多くなればなるほどクラスター潰しができなくなり感染は拡大していく。

　感染者との濃厚接触者を見つけてＰＣＲ検査するのはうまくいっているが、感染経路探しはうまくいっていない。感染経路不明は５０％以上である。ということは５０％以上の潜在感染者が感染拡大しているということである。コロナ感染の拡大を防ぐのは困難である。

　日本は中央集権国家ではない。中央政府のコロナ対策を地方に強制することはできない。クラスター対策班のコロナ対策を受け入れるか受け入れないかは地方自治体の自由である。クラスター潰しや濃厚接触者のＰＣＲ検査を徹底的にやるかやらないかは地方自治体次第である。

　沖縄は去年の８月に県専門家会議が濃厚接触であっても無症状者はＰＣＲ検査をしないことを決めた。だから無症状の感染者が増えていってコロナ感染は拡大していき、一年後には世界でもトップクラスの感染地帯になった。

　気になることがある。全国の自治体は専門家会議を設置したと思うがメンバーは沖縄と同じように新型コロナに精通していない専門家がメンバーになったはずである。全ての自治体がクラスター対策班の指導を徹底したか疑問である。もし、徹底してやれば感染は２万ではなく2.千人以下だったのではないだろうか。

8月20日

濃厚接触検査、感染経路調査、緊急事態宣言を徹底することが一番効果あるコロナ対策である

沖縄県の8月9日の新規感染者数は332人で「調査中」が215人である。「調査中」というのは感染経路不明のことであり、215人＝65％が感染経路不明である。感染した場所が不明であるし、感染させた人も分からないということである。感染経路不明者である65％のコロナ感染者は県内で自由に行動して県民に新たな感染を広げているということである。感染経路不明が多ければ多いほどコロナ感染は拡大する。65％も感染経路不明であれば感染拡大は止まらない。

厚労省に設置したクラスター対策班のコロナ対策は濃厚接触者をPCR検査し、感染経路を調査して感染源を突き止めることである。感染者の感染経路調査によってライブハウス、トレーニングジム、カラオケハウスなど多くのコロナ感染源であるクラスターを見つけていき、感染拡大を押さえていった。しかし、感染経路調査には弱点がある。調査には時間がかかるし、感染者が増えていくと多くの調査員が必要になり予算が増える。自治体は調査員を増やすことには消極的だった。調査員不足が感染経路不明を増やしていった。

沖縄は65％と感染経路不明が高い。原因は調査員不足である。県が調査員のための予算を渋ったのである。県は感染経路調査を軽視した。

県は感染経路が判明した117人の内「家庭内感染」が53人（45・3％）で最も多いとしている。家庭内であれば家族だけに感染させるだけである。家庭内感染は感染拡大をさせない。

問題になるのは家庭にコロナを持ち込んだのが誰であるか、どこで感染したかである。県は家庭内感染を感染経路にいれているが、それではコロナ感染拡大を防ぐのに役にたたない。家庭内感染をさせた家族の感染経路を調査をしなければ感染拡大を押さえることはできない。家庭内感染したのが13家族とすれば13件の感染経路不明があることになる。そのように考えると感染不明は215＋13＝22

8で感染不明は69%である。沖縄の感染者が激増するのは当然である。

沖縄の感染経路不明が高いのは濃厚接触者の無症状をPCR検査しなかったことに原因がある。無症状感染者が増加していき彼らは潜在感染者になったのである。そのために感染経路不明の感染者が増えていったのである。そして、感染爆発状態になっていった。


感染者が増えるに従って感染経路不明は全国でも増えていった。感染不明増加が感染拡大に拍車をかけた。厚労省のクラスター対策班が重点を置いたのは濃厚接触者を見つけることと感染経路を調査することであった。この二つの方法がコロナ感染を押さえる方法であると考え、全国の保健所を指導していった。全国の保健所は濃厚接触と感染経路の調査を続けている。この方法で日本は欧州のロックダウンよりもコロナ感染を押さえている。

濃厚接触と感染経路の調査はクラスター対策班独自のコロナ感染対策である。欧州の感染症対策を学んだ日本の感染専門家とはコロナ感染対策が根本から違う。


日本の専門家の感染対策は欧州の専門家と同じようにロックダウンで人と人の接触を断つことである。新型コロナ対策で専門家が主張したのはイギリスなどの欧州で行ったロックダウンであった。政府が緊急事態宣言をした時に、規制が緩すぎる、数週間後にはニューヨーク州のように感染爆発が起きると政府に警告したのが専門家たちであった。警告ははずれ、コロナ感染拡大を防いだ。

地方自治体の専門家会議を構成しているのは欧州感染症理論を学んだ専門家たちである。彼らの感染症対策は人と人の接触をなくすことである。彼らにとってロックダウンが一番効果のあるコロナ対策である。クラスター対策班のコロナ対策とは一線を画している。専門家の頭の中にはクラスター対策班の感染経路調査はない。彼らが学んだ専門書に書かれていない新しい方法だからだ。地方自治体の専門家会議は積極的に感染経路調査を進めることはなかっただろう。だから感染経路調査は疎かになり感染経路不明は増えていった。感染経路不明が増えれば潜在感染者が増えていくのが新型コロナである。

新型コロナを過去の感染症と同じように見ている日本の専門家たちには効果のあるコロナ対策はでき

ない。新型コロナは人類の歴史で初めて登場した感染症であるのだ。専門家が学んだ専門書には書かれていないのが新型コロナである。専門書に書かれていないから専門書が唯一の存在である日本の専門家たちには有効なコロナ対策はできない。ということが一年半の間ではっきりと分かってきた。

新型コロナは新しいタイプの感染症である。過去の感染症とは性質が異なる。今までの感染症の理論をそっくり新型コロナに当てはめることはできない。過去の感染症を参考に新型コロナの性質を調べることはやっていいが、過去の感染症の性質をそのまま新型コロナに当てはめることは避けなければならない。ところが専門家たちは過去の感染症と同じであるかのように新型コロナを見るのである。

実効再生産数に当てはめて新型コロナの感染者数を予測しているのがそれである。

実行再生産数の専門家として有名なのが京都大学の西浦博教授である。彼の東京都の感染予想が７月２２日に出た。８月上旬は１日３０００人の試算が出た。実際は４０００人以上だった。７月３０日にも試算を出した。８月１１日には５０００人を超えて５０２７人になるという試算だった。実際は４２００人だった。試算は外れっぱなしである。外れっぱなしであっても外れたことに謝罪はしない。そして、同じ方法で試算を続けていく。９月２６日には１万６４３人の計算になったという。

実行再生産数は新型コロナの感染に合わせた試算方式ではない。感染症全てが同じ感染をやるという考えの試算である。実効再生産数は2.週間前と比較して感染率を割り出しその感染率を根拠に今後の感染を試算するというものである。新型コロナの感染の性質を無視した試算である。

厚労省の指導によって行っている保健所の感染経路調査は感染者の感染経路を調査して感染者を見つける作業である。しかし、５０％以上も経路不明が出ている。それが感染拡大にどれほどの影響を与えているか調査研究するのが専門家のあるべき姿である。もし、感染経路が１００％判明したら感染拡大を何％押さえることができるか。５０％判明なら・・・。もし、０％だったら感染拡大はどうなるのか。専門家が感染経路の効果を明らかにすれば自治体は感染経路調査の重要性を理解し、調査員を増やすために予算を増やしていただろう。感染経路不明が50％超えることはなかっただろう。

緊急事態宣言で飲食店の営業は7時までにすると感染は何％押さえることができるか等々を調査するのが専門家がやるべきことである。実行再生産数の試算する時もこれらのコロナ対策の効力を予想して試算するべきである。これが専門家の仕事だ。しかし、そのように試算する専門家はいない。単なる数字遊びのような試算をするのが専門家である。

都と沖縄県は緊急事態宣言をしたが感染者は爆発的に増えた。すると専門家やマスメディアは緊急事態宣言の効果がなくなったと解釈した。感染症に素人のマスメディアはそれでいいが、専門家が安直に判断するのは許されない。しかし、安直に判断する専門家しかいない。感染爆発したのは規制を守らない飲食店が多かった可能性がある。専門家、マスメディアは調査するべきである。規制を守らなかった飲食店が多かったから感染爆発をしたのが宮古島市である。

宮古島市は10万人当たりの新規陽性者が44・85人となり世界最悪の感染地域となった。市の担当者は、ルールを守らず酒類を提供している飲食店での感染が深刻化していると説明している。宮古島市では緊急事態宣言中であるのに酒類を出す飲食店が多くあり、感染拡大させたのである。キャバレーなど酒提供専門の店では若い女性が多く感染しても保健所に行かない傾向にある。飲食店で感染した市民も感染場所を隠す傾向にある。だから、夜の酒提供の飲食店が感染拡大させていく。宮古島市だけでなく沖縄は酒を出す飲食店への取り締まりが緩い傾向にある。沖縄がコロナ感染で最悪である原因の一つが酒提供の飲食店の取り締まりが緩いことである。沖縄ほどではなくても全国的に酒を出す飲食店への規制は緩くなっていったと思う。

朝日の10人ほどの職員がカラオケボックスで朝方まで酒を飲んでいたことが明らかになった。東京も酒提供店への規制はかなり緩くなっている。

産経新聞は東京都の保健所による濃厚接触者の調査が減っているのではないかと危惧を抱いている。濃厚接触者の検査で無症状の人が過去は2割ぐらいであったが最近は約1割であるという。陽性の可能性がある人を検査して、そうではない人は検査をしていない。だから陰性は2割から1割になったのではないかと推測している。全員を検査すれば2割の陰性がある。しかし、陽性の可能性の高い濃厚接触者を優先して検査し、全員の検査をしなくなれば陰性率は減る。陰性が2割から1割になったのは検査を減らしたからだと産経新聞は推測している。沖縄県の専門家会議は濃厚接触者であっても無症状は検査しないことを決めた。東京都も沖縄と似たことをやったようである。感染が拡大するのは当然である。

8月16日のブログで都が濃厚接触者のPCR検査を縮小するのを決めたことはコロナ感染拡大政策に転換したに等しいと書いたが、都は7月からすでにPCR検査を縮小していたのだ。感染拡大政策はすでに始まっていた。

厚労省のクラスター対策班以外のほとんどの専門家は彼らが学んだ専門書に書かれている感染症と新型コロナを類別ができない。だから、新型コロナを今までの感染症と同じとみなしてコロナ対策を考えている。沖縄の専門家会議が無症状者をPCR検査しないことにしたのは無症状はとても軽い状態なので感染しないと錯覚していたからである。都の専門家も無症状は検査しなくてもいいと思って濃厚接触の検査を縮小したのである。

都と沖縄の専門家がやったことは潜在感染者を増加させ、確実に感染者を増加させることになる。

新型コロナの感染力はすさまじく、コロナ対策にミスがあれば日本のあらゆる地域で沖縄県や宮古島市のようになるのを念頭に置くべきである。

自治体がコロナ感染拡大を押さえる方法の基本となるのは1濃厚接触者のPCR検査　2.感染経路調査　3緊急事態宣言(酒提供飲食店の規制)である。1、2、3を地方自治体は徹底して実行したか否かを専門家は調査するべきであろう。沖縄は1、2、3の実施が緩かった。だから感染最悪地帯になった。宮古島市は3の取り組みが特にひどかった。だから世界最悪の感染地帯になったのである。

コロナ感染が2万人を超えて急拡大している。新たなコロナ対策を立てるように政府に要求する専門家、マスメディアである。しかし、その前に全ての自治体が1、2、3を徹底することである。沖縄を見れば1、2、3を手抜きしたから感染が急激に拡大したことが分かる。1、2、3以上の効果あるコロナ対策はない。このことを認識するべきである。

8月22日

「救える命が救えない」・・・医師が救えない命を救った菅首相

久しぶりに押谷教授の意見が掲載されていた。東北大教授と紹介しているということはクラスター対策班からは離れたのだろうか。

押谷教授の調査では、新型コロナウイルスに感染した20歳未満の子ども（小児）は家庭外での感染拡大に与える影響が小さいことが判明したという内容が河北新報に掲載されていた。押谷教授だけはコロナ感染ついて具体的に調査分析する。。

押谷教授は、インフルエンザの場合は小児患者の本人感染と二次感染が多く、休校措置が感染拡大防止に有効であっているため、休校措置が感染拡大防止に有効であるが、家族間など家庭内での感染が多いコロナ小児患者についてては「新型コロナの流行に果たす役割は限定的と考えられる。昨春行われたような一斉休校の導入は、有効性を慎重に判断する必要がある」と述べている。これは新しい理論ではない。去年第二次緊急事態宣言の時には第一次のような学校の一斉休校を行わなかった。それは押谷教授の理論によるものであった。多くの専門家は休校にしなければ感染が拡大すると主張し､休校するように要請したが､押谷教授は反論し休校にしなかった。事実学校が感染拡大させることはなかった。

コロナ感染が2万人を超えたので子供たちの感染拡大を防ぐために一斉休校にしようとする動きが出てきている。旧来の専門家のコロナ対策はとにもかくにも人と人の接触を避けることである。だから、コロナ対策として一斉休校しようとしている。押谷教授はこのようにコロナ対策に一石を投じるものであると河北新報は書いている。

そうではない。一斉休校しないのは第二次緊急事態宣言で実施し感染拡大しないことを実証した。そのことを旧来の専門家は理解していない。

インド由来の変異株「デルタ株」は従来株よりも感染力が強く、子供の感染リスクが高いと専門家は指摘している。デルタ株への置き換わりが進み子供の感染が増えたという。しかし、感染が増えたのは20代若者もいるし、30、40代も増えている。

特別に子供の感染が増えたわけではない。専門家は1月10．5％であったが7月には14．8％に増加していることを証拠にしている。ワクチン接種が進んだ高齢者の感染は激減した。高齢者の感染率が下がれば他の年齢層の感染率は高くなる。10代以下の感染率も上昇する。特別に10代以下の感染が他の年代より上昇したとは言えない。

若者や10代以下の感染は増えた。一方高齢者の感染は激減した。激減したのは感染だけではない。死者も激減した。

6月には100人に達していた死者が8月には20人まで減少した。現在は30人台になっているが6月に比べればかなり減っている。原因は高齢者のワクチン接種である。ワクチン接種によって高齢者の死者は激減し、死者数が減ったのである。ワクチン接種は菅首相が積極的に進めてきた政策である。「1日100万人接種」を掲げた時、マスメディアは菅首相がホラを吹いていると皮肉った。しかし、100万人接種は実現し、高齢者の8月末日までのワクチン接種も完了しそうである。

東京都は5000人感染が続き、救急入院できない。自宅療養者の死亡が出た。医師や専門家は「救える命も救えない」状態であることを強調する。しかし、都の一日の死者は多い時は8人、少ない時は0人である。10日間の平均は4人である。「救える命も救えない」と死者が激増しているようなイメージを与えるが現実は死者は少ないのである。

感染者が激増し、重傷者も増加している。そのような状況下ではあるが死者は少ない。もし、感染数に比例して死者も増えるのであれば6月の3倍の300人の死者が出ることになる。しかし、死亡率の高い高齢者の感染が激減したから6月のような死亡率にはならない。感染者は3倍になったが死亡者は多くて半分の50人くらいになると予想している。とにかく、高齢者の死亡が激減しているのは確実である。感染拡大、医療崩壊で大騒ぎして、国民を不安に陥れているマスメディア、専門家、医療界は市民不安を増長するために高齢者の感染・死亡率が激減していることは絶対に強調しない。都は8月1、2、13、14、20日は死亡者が0だった。このことを知れば市民はほっとするのではないか。

ワクチン接種によって医師が救えない高齢者の命を菅首相が救ったのは真実である。

6月8日

沖縄は感染が拡大するコロナ政策をした　だから感染拡大した

沖縄のコロナ感染は全国でも突出している。沖縄でコロナ感染が突出したのは偶然ではない。県のコロナ対策が感染を広げる政策をしたからである。県は絶対にやってはいけないことをやった。それは濃厚接触しても症状が出ない市民はPCR検査をしないと決めたことである。絶対にやってはいけないことを県専門家会議は県に提案し専門家会議提案を了承して無症状の濃厚接触者をPCR検査しなくなったのである。去年の8月のことである。

新型コロナは若者の無症状者が多い。しかし、無症状でも感染力は強い。コロナ感染拡大を押さえるためには濃厚接触者は症状無症状に関係なく全員PCR検査をすることだ。日本は濃厚接触者をPCR検査することでコロナ感染拡大を抑え込むことができた。しかし、去年の8月に沖縄は政府の方針と違う方針を決めたのである。沖縄県政は無症状者の濃厚接触者はPCR検査をしないと決めた。そのために無症状者のコロナ感染者が拡大していったのだ。

無症状者のPCR検査をしないことを決めたのは県の専門家会議である。専門家とは感染専門家のことであり、県の感染専門家の会議で無症状者はPCR検査をしないことを決めたのである。考えられないことであるが事実である。その結果、沖縄では無症状の感染者が増えていったのである。

新型コロナは感染病のひとつである。新型コロナの性質と感染の仕方は決まっている。新型コロナの性質を研究し、感染の仕方が解明できれは感染の性質を調べてできるだけ感染しないようにすれば感染拡大を防ぐことができる。逆に感染対策を間違えれば感染は拡大する。沖縄はコロナ感染対策を間違ったのである。沖縄では無症状の感染者が増えていった。そして、無症状感染者から感染した人には症状が出る感染者も増えていった。それが原因で沖縄の感染は全国で断トツになったのである。

産経新聞は沖縄感染拡大は「人災だ」だと指摘した記事を掲載した。

県は5月の大型連休前に厳しい対策をとらないで

全国最悪の感染状況を招いた。ところがデニー知事は最悪の感染状況の最中にも関わらず緊急事態宣言中の26〜27日に上京して、政府に米軍基地の整理・縮小を要請した。コロナ感染が全国で一番最悪であるのに沖縄を離れ政府に米軍基地の整理・縮小を要請したのである。沖縄のコロナ感染はデニー知事による人災であると産経新聞は批判した。

コロナ感染に真剣に取り組まなかったから国内で最悪の感染拡大をしたと産経新聞は述べている。産経新聞の指摘する通りであるが、それだけではない。産経新聞の説明では沖縄の感染が全国で断トツになったことを十分に説明できたとは言えない。

沖縄の直近1週間の人口10万人当たりの新規陽性者数は120・58で、2位の北海道の39・72と比べて約3倍の多さある。全国断トツのワースト1位である。デニー知事の人災くらいで断トツのワースト1位になるはずはない。

原因は産経新聞が指摘した点だけでなく、去年8月に決めた濃厚接触者であっても無症状はPCR検査をしないことが大きく関係している。PCR検査をしなかったから無症状の感染者はどんどん増えていき、無症状者からの感染で症状が出る感染者もどんどん増えていったのである。県が感染者を増やす政策はこれだけではなかった。6月になると新たなる感染拡大の政策を決めたのである。なんと、濃厚接触者の追跡調査を中止したのだ。それは濃厚接触者のPCR検査を放棄したのに等しい。無症状者PCR検査を放棄しただけでなく、濃厚接触者の調査も放棄したのである。

沖縄県は1日までに、新型コロナウイルス感染者で重症化リスクの低い若者や軽症者の濃厚接触者調査を取りやめ、感染者本人が接触者に連絡するよう呼び掛ける方針を決めた。濃厚接触者を見つけるには専門的な知識が必要である。コロナ感染は密室＝クラスターで感染する可能性が高い。クラスターの全員を調査することによって感染させた濃厚接触者を見つけることができる。濃厚接触者は保健所の専門家が見つけることはできる。素人が見つけることは困難である。ところが沖縄県はコロナ感染者が濃厚接触者を見つけて、コロナ感染していることを伝えるように決めたのである。感染者が濃厚接触者を見つけるのは大変な作業である。難儀な濃厚接触者探しを感染者がやるはずない。

県は濃厚接触者を見つける作業を放棄したのだ。

県は徹底して濃厚接触者を見つけてＰＣＲ検査をするという政府のクラスター対策班の方針とは逆の方針を決めたのである。政府の方針に背いているのが沖縄県である。政府とは違う県独自の方針が、無症状感染者を増大させ、それが原因で全国で突出したコロナ感染県にしたのである。

西村康稔経済再生担当相は、感染拡大が続くのは大型連休中、約１０万人が沖縄を訪問したことや仲間で酒を飲み合うといった沖縄の風習、近い仲間同士の接触などで広がったと推測しているが濃厚接触者を徹底してＰＣＲ検査すればこれほどまでには感染拡大しなかった。政府の分析が甘い。

濃厚接触者には感染者が直接知らせることを決めた理由を県の糸数公医療技監は「感染者が過去最多を記録し、保健所の調査業務が逼迫している。保健所の濃厚接触者への（特定と）連絡に2~3日かかることもあるので、検査案内を陽性者本人を通じて行う」と説明した。感染が全国一になったいまだからこそ、濃厚接触者をできるだけ見つけてＰＣＲ検査をするべきである。ところが保健所のひっ迫を理由に濃厚接触者を見つける作業を放棄したのである。政府のクラスター対策班にとっては考えられないことである。

県の政治はデニー知事が握っていない。謝花副知事を中心とした県庁幹部が握っている。県庁は左翼の牙城である。反菅政権である。だから、政府のコロナ感染対策に従わず独自のコロナ対策を実施した。それに県庁幹部にとって新型コロナよりも米軍基地問題が重要である。デニー知事は緊急事態宣言中にもかかわらず上京し、政府に米軍基地の整理・縮小を要請したが、それは謝花副知事を筆頭とする県庁幹部の意思のままに動いたからである。実質的な知事は謝花副知事でありデニー氏は副知事と見れば県政が理解しやすい。

コロナ感染拡大の性で保健所や県の職員は忙しくなった。これ以上は忙しくなりたくないので濃厚接触者の調査を放棄したのだ。沖縄の爆発的なコロナ感染は県庁の政権を牛耳っている反菅政権の県幹部左翼政治が原因である。

8月13日

専門家がコロナ対策を主導すれば沖縄のように感染爆発する

　沖縄県は直近1週間の人口10万人当たりの新型コロナ新規感染者数が256・09人であり、東京都の205人より多く全国1位である、世界的にも感染者数が多い国と同水準である。マレーシアの361・1人、イギリスの275・9人に次いで高いのだ。新規感染者数が最も多かったアメリカが164・2人、感染力が強いデルタ株が広がるインドネシアの100・1人をはるかに上回っている沖縄県である。

　沖縄県のコロナ感染悪化は県のコロナ対策が原因である。政府はクラスター対策班を設置してコロナ対策を指導したが、沖縄県は国のコロナ対策に従わないで県専門家会議による独自のコロナ対策をやった。去年の8月からである。

　沖縄県のコロナ対策は感染を封じる対策ではなく感染を拡大させる対策だった。だから1年後の今はコロナ感染率が東京都よりもはるかに高くなったのである。1年前にこのことを知っていた私は9月発売の「内なる民主主義24」で沖縄はコロナ感染がますます拡大していくことを指摘した。

2020年8月10日

「経済悪化　コロナ感染拡大　デニー知事の最悪政治」

　緊急事態宣言によって新型コロナ感染拡大を防ぐつもりのデニー知事であったが効果はなく、逆にコロナ感染は急激に拡大した。するとデニー知事は数字では感染数が縮小するが実際は新型コロナ感染が拡大するという県民だましの政策を実施した。PCR検査の対象範囲を発熱などの症状が出ていない濃厚接触者の検査をやめることである。デニー知事は重症化リスクがある人と医療・介護従事者を優先することに決めた。濃厚接触者であっても発熱などの症状が出ていない人の検査はしないというのである。

　症状のない濃厚接触者の検査をしないのは検査依頼が増加して、医療機関や保健所が逼迫しているからだという。症状が出ていない人の検査が続くと重症患者の治療が困難になるというのが理由である。検査方法の見直しを提言したのは県専門家会議である。デニー知事と同席した専門家会議委員の沖縄県立中部病院・高山義浩医師は、「症状が出た段階で検査すれば全く遅くない。症状がある人に対する検査態勢はしっかり守るので協力をお願いしたい」と述べた。

感染病専門の医師とは思えない発言である。感染病の一番の問題は人から人へ感染することだ。感染を防ぐことが感染病専門医師の一番の課題である。ところが高山医師は症状が出た段階で検査しても治療できるから、無症状の時に検査しなくてもいいと述べたのである。高山医師は感染病専門医師ではなく内科医師のようである。

無症状の感染者が感染者である自覚がないために多くの人と濃厚接触して感染を拡大するのが新型コロナの特徴である。新型コロナの感染力が高いのは無症状の感染者から感染するからである。

沖縄県は7月31日~8月6日の一週間で人口10万人当たりの感染者数は31・57人となった。2番目の東京都17・29人を大きく引き離し、7日連続で全国最多となった。東京都の感染拡大が問題になっているが沖縄は東京都の二倍である。沖縄県はデニー知事が緊急事態宣言をしたにも関わらず感染率が断トツの一位である。県の専門家会議のコロナ対策が最低と言われても仕方がない。汚名をはらすには感染率を下げるしかない。下げるには感染を減らす方法ともう一つ、PCR検査を少なくする方法がある。専門家会議は無症状の感染者をPCR検査しないことによって数字上の感染数を減らす方法をデニー知事に進言したのである。専門家会議の言いなりであるデニー知事は専門家会議の提案を受け入れた。

世界保健機関(WHO)の発表では感染しても30~50%の人は症状が出ない。新型コロナウイルス感染者のうち4割ほどが無症状の感染者からうつされているという。濃厚接触者であっても症状がなければPCR検査しないという沖縄の感染病専門会議の提案は間違っている。

世界から日本はPCR検査が少ないと批判されていた時でも政府のクラスター対策班は感染者の濃厚接触者を徹底してPCR検査をした。徹底した濃厚接触者のPCR検査が感染拡大を防いだのだ。ところが濃厚接触者であっても無症状であればPCR検査をしないという県専門家会議の提案を受け入れた県の政策は感染者を拡大させる政策である。

那覇市や県医師会は8月1、2日に松山地域の飲食店従業員らを対象にPCR検査を実施した。松山地域で働くほとんどの人々が検査を希望し、2076人が検査を受けた。検査の結果86人の陽性が確認された。

86人を隔離すれば、松山地域にはコロナ感染者が居ないので健全な夜の街になる。2076人が検査を受けたのは画期的である。松山地域では安全に飲食できることになったのだ。1カ月毎に検査をすれば観光客から感染したとしても感染者を見つけて隔離するから健全な松山をアピールすることができ、県民も観光客も安心して飲食できる松山地域になるだろう。

ところがデニー知事は無症状者のPCR検査はしないという。無症状の感染者が増えると重症患者の治療が困難になるというのである。しかし、無症状の感染者を放置していくと感染が急激に拡大していく。無症状の感染者から老人や疾患者への感染が広がる可能性が高くなる。重症患者が増えるだろう。

感染拡大を止めるために緊急事態宣言をしたデニー知事は今度はコロナ感染者が増える政策をやるのである。呆れてしまうデニー知事の政治である。

県がやるべきことは松山地域で行った検査のように大規模な検査をし、陽性の人を隔離するべきである。例え感染率が全国一であったとしても濃厚接触者は全員PCR検査をするべきだ。クラスターが発生したら地域全員のPCR検査をやるべきである。コロナ感染拡大を防ぐのにはそれが一番有効である。

宜野座村は7日、保育所関係者を対象にPCR検査を実施した。150人が受診した。保育所に娘を通わせている30代女性は「すぐに検査を実施してもらい、ありがたい」と語った。

デニー知事の緊急事態宣言は経済悪化を招き、無症状者を検査しないのは感染者拡大を助長することになる。沖縄にとって最悪の政治である。

感染専門家医師だけでなく観光事業や経済界の意見を聞いた上で沖縄にとって最適な政策を模索するのがデニー知事に求められている。しかし、医師だけの意見を聞き、最悪の政治を実施している。

ブログ「内なる民主主義」

県の糸数公保健衛生統括監は「若い人中心の感染状況から高齢者関連施設での感染が増えている」と

説明しているが、若者の感染者が増えたのは若者の無症状感染者を放置した県のコロナ対策が原因である。県は死亡率も高い。高齢者の感染率が高いからである。沖縄タイムス、琉球新報はこのことに注目しない。残念である。

「内なる民主主義24」

沖縄県が世界二位の感染率になった原因の第一は濃厚接触者であっても無症状であればPCR検査をしなかったことである。無症状の感染者は自由に行動し、感染拡大をさせたのである。それが1年後には日本一、世界二位の感染地帯にしたのである。加えて宮古島市は酒類提供の店を規制しなかった。ルールを守らず酒類を提供している飲食店での感染が深刻化していると宮古島市の担当者がいうほどに宮古島は自由に酒を提供している店がおおかったのである。

濃厚接触者のPCR検査、酒提供の店の規制こそがコロナ感染拡大を押さえる方法である。沖縄はそれを実行しなかったから感染爆発したのである。

日本の専門家は人流が感染拡大させるという考えであり、感染拡大を防ぐには人流を減らすことであると考えている。人流を強制的に減らす法律は日本にない。人流を減らすには国民にお願いするしかない。でなければロックダウンができるように法律を改正しなければならない。コロナ感染を確実に減らすにはロックダウンを制定するべきと考えているのが専門家である。

地方自治体のコロナ対策会議を占めているのが専門家である。感染の原因が人流であると考える専門家である。専門家はクラスター潰しによるコロナ感染対策を軽視している。酒を出す飲食店を厳しく取り締まることを重視していない。だから、東京をはじめ全国店に感染が拡大したのは取り締まりを緩くしたことが原因である。

沖縄のようにPCR検査や規制を緩くすれば感染爆発が起こるのは確実である。

8月30日

コロナ感染は9月 10月 11月にかけて収束に向かって進む

コロナ感染を終息させることができるのはワクチン接種だけである。日本の緊急事態宣言や欧州の国々のロックダウンで終息させることはできない。ワクチンでしか感染終息させることができないという考えは、専門家、欧州、米国政府も同じである。

日本政府は去年2月にクラスター対策班を設置した時からコロナ感染を終息させることができるのはワクチン接種であること、政府のコロナ対策はワクチン接種まで感染拡大をできるだけ押さえるためであることを発表していた。

濃厚接触者のPCR検査、感染経路調査そして緊急事態宣言はコロナ感染を終息させることはできない。感染拡大を押さえることができるだけである。

濃厚接触者のPCR、感染経路調査では押さえることができなくて感染者が急激に増加していく自治体には緊急事態宣言を適用して、感染を押さえていく。感染が拡大した東京、埼玉、千葉、神奈川、大阪、沖縄の6都府県に政府は緊急事態宣言を発令していたが、感染が急拡大した大阪府等の15府道県にも新たに緊急事態宣言を発令した。12県には蔓延防止等重点措置を発令した。日本の人口ベースで約75％を占める都道府県に緊急事態宣言、蔓延防止等重点措置を発令したことになる。

過去四回の緊急事態宣言はコロナ感染を確実に減少させた。今回の緊急事態宣言もコロナ感染を減少させるだろう。ただ、2万人を超える感染を1000人まで押さえるまでは時間がかかるだろう。それに緊急事態宣言を解除すれば再び感染が拡大していくことは確実である。解除するには感染が急激に拡大しないことが条件になる。ワクチン接種が進み、緊急事態宣言を解除しても感染が医療ひっ迫を起こさない程度にならなければ解除することは困難である。9月はワクチン接種が60％に達することができないから緊急事態を解除するか判断するのは難しい。11月には80％以上に達することができるはずだから確実に緊急事態を解除しても感染が拡大することはないだろう。

高齢者へのワクチン接種で高齢者のコロナ感染は

激減した。ワクチン効果を高齢者が実証した。国民のワクチン接種が進めばコロナ感染が減少することは確実である。ワクチン接種は１日あたり１２０万回のペースまで進んでいるが、もっと加速していくだろう。加速すればするほど感染は減少する。

　コロナ感染問題は終局に向かい始めたということである。終局に向かわせるのがワクチン接種の加速である。９月からは高齢者へのワクチン接種が終わり、６５歳以下へのワクチン接種に集中するようになる。国民へのワクチン接種はどんどん加速していく。加速すればするほどコロナ感染者は減少していく。

　ワクチン接種していなかった時は高齢者の感染割合が１０％以上だったが６０％以上のワクチン接種で３％に落ちた。ワクチン接種がコロナ感染を劇的に減少させていくのは高齢者へのワクチン接種で実証済である。ワクチン接種がコロナ感染を収束させることは明らかである。

　ワクチン接種が進めばワクチン効果で９月後半頃から感染は減少し、１１月には感染率が３０％以下になるだろう。１２月、１月には感染者は激減しているだろう。９月からコロナ感染問題は終焉段階に向かうということである。

　現在は一日の感染が２万人を超え、入院できなくて自宅療養している感染者は１０万人を超えるという。医療ひっ迫な状態であり、「救える命も救えない」状態である。そんな危機状況の中でコロナ感染が終局に向かい始めたというのは現実を無視していると思うだろうが、無視はしていない。むしろ現実を冷静に見ている。

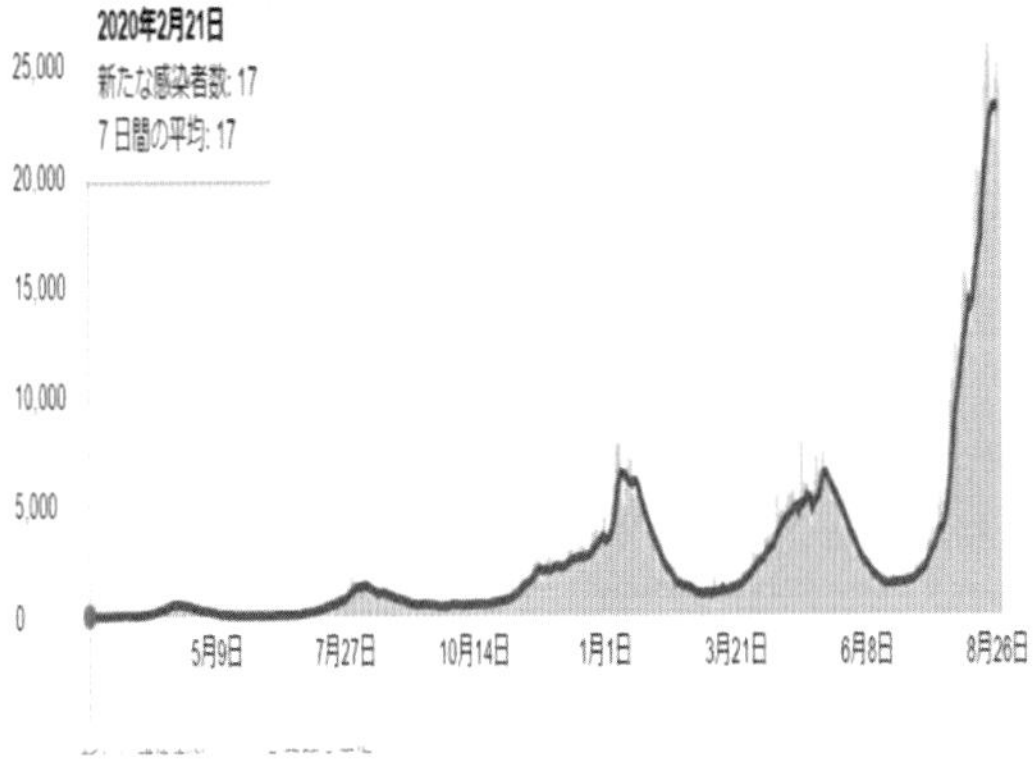

表を見れば四度の緊急事態宣言で感染は減少していることが分かる。今回は急激に感染者が増えたが緊急事態宣言をしたから減っていくことは確実である。過去の緊急事態宣言がそのことを示している。今度の緊急事態宣言でも感染が減少するのは確実であることは疑いようがない。

表で分かることがもう一つある。コロナ感染は次第に増えていることである。緊急事態宣言によって感染は押さえられていても、低い箇所が次第に高くなっている。コロナは無症状の感染者もいるのでPCR検査を受けない感染者が市中に増えていく。それが新型コロナの特徴である。市中に潜在感染者は確実に増加している。潜在感染者の増加が緊急事態宣言を解除した時に急激な感染拡大の原因になるのである。8月に急激に2万人以上になったが、それにはPCR検査を受けなかった潜在感染者が原因の一つである。コロナとはこのように感染力が強いということである。コロナ感染が拡大したことを政府が無対策であると政府のせいにする専門家、マスメディアは多いが、彼らは本当のコロナ感染の性質を知っていないから批判するのである。

新型コロナは感染症である。政治、経済、芸術とは違い科学で解明できる。新型コロナの性質、感染の仕方を科学の目で突き止めることができるのだ。東北大学の押谷教授は中国で感染していた新型コロナについて去年2月に特徴や性質を解明し論文を発表していた。押谷教授のコロナ対策を実施したのが厚労省に設置したクラスター対策班だった。欧州のロックダウンは経済を停滞させ、経済危機を招くが、日本のコロナ対策は経済を維持しつつ、欧州のロックダウンに匹敵するくらいコロナ感染を押さえた。

60%のワクチン接種をしたイギリスが規制緩和すると急激に1日5万人の感染者が出た。日本の最高の感染者数は半分の2万5000人である。イギリスは現在感染者3万5000人、死亡者130人である。日本は感染者2万3000人死亡者47人である。ワクチン接種が72%のイギリスより少ない34%の日本の方が感染者も死亡者も少ないのである。なぜか。日本のコロナ対策が優れているからである。日本ならワクチン接種が70%以上になればイギリスとは違い確実に感染者が激減するだろう。

日本は9月、10月、11月とコロナ感染問題が終局に向かって進んでいくのは間違いない。

9月3日

菅首相がマスメディア・専門家・医師会の圧力を跳ね返し東京五輪開催した意義は大きい

世論調査で80%が東京五輪開催に反対していた。国民の主張を尊重するなら五輪開催は中止すべきだった。しかし、菅首相は五輪開催した。国民の主張に沿うのが民主主義であるなら菅首相の五輪開催は非民主主義ということになる。国民が東京五輪開催に反対したのは開催すればコロナ感染が拡大し日本はパンデミックに陥ると信じたからである。信じさせたのはマスメディア、専門家、医師会であった。

圧倒的な五輪開催反対でありながら菅首相は五輪開催を決めた。東京五輪を開催したのは五輪は感染拡大をさせないという確信があったからである。安倍首相時代に官房長官をやり、政府のコロナ対策を見てきた。今まで培ったコロナ対策を東京五輪に適用すればコロナ感染拡大はしないという自負が菅首相にはあった。だから、五輪開催をしたのである。

東京オリンピック開催中に緊急事態宣言を発令していたのに東京都のコロナ感染は拡大した。マスメディアや専門家はオリンピックと関係があると指摘した。しかし、感染拡大したのは都だけではなかった。東京から遠く離れた緊急事態宣言を発令していた沖縄県も感染拡大した。感染率では東京都よりも沖縄県の方が上回った。感染拡大はオリンピックには関係がないのは沖縄県を見れば分かることである。緊急事態宣言をしていながら濃厚接触者のPCR検査、感染経路調査、酒提供店への規制を手抜きしたから感染拡大したのである。手抜きすれば感染爆発する。沖縄県がそのことを実証した。

オリンピック開催中に都の感染は拡大した。一部マスメディア、専門家は感染拡大はオリンピックの性であると主張し続けた。オリンピックが終了し、全国が感染拡大する中でパラリンピックが開催された。感染は拡大する・・・はずが、なんと減少していった。パラリンピック開催ではっきりしたのはオリンピック・パラリンピックが感染拡大とは関係がないことである。

「国民の命を守るために東京五輪中止」が真っ赤な嘘であることを菅首相は明らかにしたのである。

9月5日

菅義偉は仕事人　政治屋にはなれなかった

菅首相が総裁選に立候補しないことを決めた。そのことで友人と電話で話した。友人は菅首相のことを実務派であるといい、政治家ではないと言った。友人は携帯電話の料金値下げ。デジタル庁創設、大量のワクチン購入、東京オリパラ開催など菅首相のやったことを上げ、たった一年でこれほど多くの政策を実現させた首相はいないと言った。しかし、これだけすごいことをやったのに自民党の政治家やマスメディア、国民にアピールすることは下手くそだった。菅首相は実務には優れているが成果をアピールする政治能力がなかったと友人は指摘した。友人の指摘する通りてある。友人が指摘した以外にも、
○「安保土地法」を成立させ防衛施設の周辺などの土地買い占めに一定の歯止めをかけた。
○霞ケ関の官僚たちの人事権を官邸が握った。
○日本学術会議会員の6人の任命を拒否した。
○韓国との慰安婦、徴用工問題には毅然と対応した。
○ワクチン接種を100万以上にした。

総裁選に出馬しないのは、新型コロナウイルス対策と総裁選の両立は莫大なエネルギーが必要で困難であるからだと菅首相は述べた。菅首相の本音だと思う。首相の座にこだわるよりコロナ問題を解決するのに菅首相はこだわるのだ。菅首相は首相になりたくてなったのではない。安倍前首相が病気を理由に辞めたから官房長官だった菅首相に白羽の矢が当たった。新型コロナ感染が世界に広がり、日本でもパンデミックが起こるかも知れないという状況で誰も首相にはなりたくない状況での首相就任だった。

菅氏が首相になって知ったのが安倍政権のブレーンが菅氏であったことだ。安倍政権のブレーンだったからコロナ感染という困難な状況で首相になったのである。総裁になるための選挙活動はしなかった。安倍首相などの重鎮が菅氏を総裁に推薦したから立候補した。そして、総裁になり、首相になった。首相になりたくて、当選するために運動をしたから首相になったのではなく、安倍政権でブレーンとしての仕事をしてきたから首相になったのである。

菅首相は党総裁選への不出馬の理由を以下のよう

に述べている。

総理大臣になってから、まさに新型コロナ対策中心とするさまざまな国が抱える問題について全力で取り組んできました。そして、今月17日から、自民党の総裁選挙が始まることになっていまして、私自身、出馬を予定する中で、このコロナ対策と選挙活動、こうしたことを考えたときに、実際、ばく大なエネルギーが必要でありまして、まあ、そういう中で、やはり、両立はできない。どちらかに選択をすべきである。国民のみなさんにお約束を何回ともしています。新型コロナウイルス、この感染拡大を防止するために、私は専任をしたい、そういう判断をしました。

国民のみなさんの命と暮らしを守る、内閣総理大臣として私の責務でありますので、専任をして、ここをやり遂げたい。このように思います

総裁を目指して選挙運動をするなら、総裁選に勝つためには選挙運動に埋没するしかない。コロナ対策に手が回らなくなる。菅首相は総裁選に埋没するよりコロナ対策を優先させたのである。友人は菅首相を実務型といったが私にいわせるとブレーン型仕事人政治家である。派閥に頼る政治屋ではない。

菅首相がやらなければならないのは「コロナという魔物に勝てなかった」のイメージを跳ね返し、菅政権がコロナに勝ったことを示すことである。それを実現するために残りの時間を使う。その準備はすでに始まっている。新型コロナウイルスの感染拡大地域での行動制限の緩和策をまとめた政府のロードマップ（行程表）の発表である。原案はすでに分科会に提出されている。

○ワクチン接種が進んだ10～11月の段階で、緊急事態宣言の発令地域でも感染対策を行った飲食店では酒の提供や時間制限を緩和する。

○接種済みの人の外出や県境をまたぐ移動も原則認める。

○ワクチン接種済み証や、陰性の検査結果を活用する。大規模イベントの人数制限の緩和。

○政府の観光支援策「Ｇｏ　Ｔｏトラベル」の再開。

政府が作成したロードマップの骨子である。ロードマップを分科会に認めさせ、公表し、ロードマップが実現する方向に進ませる準備をするのが菅首相の最後の仕事である。

9月8日

誰が総裁になるか興味ない　脱派閥政治に徹する総裁か否かに興味

自民党総裁選は17日告示、29日投開票に決まった。27日には新しい総裁が決まる。誰が総裁になるかより総裁が脱派閥の総裁か否かに興味がある。派閥間の駆け引きによって誕生するようなことにはなってほしくない。

派閥政治が大嫌いだった。派閥政治は政治を堕落させる。派閥政治は政策優先で首相が選ばれるのではないからだ。派閥政治時代は最大派閥のボスが首相を決め、大臣は任命権のある首相ではなく派閥のボスが決めた。派閥時代には任期も決まっていた。首相の任期は2年、大臣は1年だった。派閥政治時代は大臣適齢期というものを設定していた。当選回数が衆議院議員では5回以上、参議院議員で3回以上の議員が適齢期で大臣に任命された。大臣としての能力には関係なく大臣適齢期の議員が次々と大臣になったのである。実力のない派閥のボスにへーコラする議員が首相になり大臣になった。能力のない首相や大臣だったが日本の政治はそこそこにうまくいっていた。原因は首相や大臣の代わりに政策を担当したのが官僚であったからだ。官僚は無難に政策を作成し無難に実施した。それに旧社会党や共産党には日本の政治を運営する能力がなかった。だから自民党の派閥政治が続いた原因でもある。旧社会党、共産党であればそこそこの政治をすれば与党の座を維持することができたのである。野党の無能さもあって派閥のボスと官僚が政治を取り仕切った派閥政治が続いたのである。

予算委員会での質疑応答では首相も大臣も官僚が作成した作文を読むだけであった。無能な首相、大臣は官僚の作文を読むだけのお飾りの存在であった。作文を作成した官僚が政策を考え実施していた。派閥政治は政治の中枢を握る官僚の権力を強くしていった。官邸は官僚が支配する世界になっていった。

菅首相は派閥時代に築かれた官僚支配を打破し、内閣が政治の主導権を握るために内閣の政治に後ろ向きの官僚を官邸から排除していった。その行為を菅独裁だとマスメディアは非難した。菅首相は官僚主導の政治から政治家主導の政治、あるべき政治への変換を目指したのである。

どっぷりと派閥政治につかっていた時に、派閥政治破壊を宣言したのが小泉首相だった。

「自民党をぶっ壊す」

と豪語した小泉首相は派閥政治を打破する政治改革を始めた。小泉首相が最初にやったのが大臣任命だった。派閥のボスが決めるシステムである大臣適齢期制度を止めた。小泉首相が自ら選んで大臣を任命した。画期的だったのは議員ではない大学教授である竹中平蔵氏を経済財政政策担当大臣とIT担当大臣に任命したことだ。大臣になれば拍がつき選挙に有利になる。だから派閥時代の大臣は全員議員から選ぶようにしていた。小泉首相は政治・経済改革を優先して竹中氏を大臣に任命したのである。竹中氏は小泉首相の経済政策のブレーンとなり、日本経済の「聖域なき構造改革」を断行していった。

小泉首相は自民党に定着していた派閥政治を壊し、首相が主導権を握る政治を実現させていった。しかし、小泉首相が後継者に指名した第一次安倍政権は派閥政治に戻った。安倍政権は短命に終わり、安倍政権に続く自民党政権も派閥政治が続き、国民からそっぽを向かれ民主党政権になった。政治は米国のように二大政党でなければ健全な政治体制にならないと考えていた私は民主党政権の誕生を歓迎した。自民党と民主党の二大政党時代になることを期待したが、残念なことに民主党政権も短命に終わり、再び自民党政権になった。

再び安倍氏が首相になった。第二次安倍内閣の登場である。第一次安倍内閣のことがあるから全然期待しなかった。ところが第二次安倍内閣は小泉内閣の後継者になっていた。派閥政治を脱却し政治改革中心の内閣になっていた。

驚きと注目が重なったのが安倍政権による0金利政策だった。0金利は銀行の経営を悪化させる。強大な銀行の圧力によって止めるかもしれないと思っていたが、安倍政権は断行した。

安倍政権が0金利を断行したのは日本経済を復興させるためであった。0金利にすることによって円の価値は暴落した。1ドル＝80円が120円まで下落した。円の下落によって円高の時に落ちていた輸出が伸びていった。加工貿易の日本は輸出が経済を支えている。輸出が落ちれば日本経済は悪化する。安倍政権の0金利により輸出が伸びて日本経済は復活した。

0金利の効果は輸出復興だけではなかった。国の財政安定にも貢献した。政府は国債を発行して財政をカバーしている。国債は借金であり返済しなければならない。1000兆円以上の国債を抱えている政府は国債利払いや返済に充てる国債費が30兆円を超える。国債の利払いや返済が国家予算を圧迫してきた。しかし、0金利になったので新規国債は利払いしなくていい。利払いがないから日本銀行に国債を売って過去の国債の利払いと返済ができる。日本銀行への返済は余裕があるときにやればいいから、国債が国の財政を圧迫することはなくなった。

国債返済が国の財政の大きな負担となっていたが、0金利を制定することによって政府の国債の金利がゼロになり日本銀行に国債を売れば金利を支払わなくてもよくなった。財政が悪化している時は日本銀行に新しい国債を売って支払えばいい。0金利は国は実質的には返済しなくてもいいシステムになったのである。安倍政権の0金利政策は国の財政の安定化にも貢献した。


脱派閥政治の小泉・安倍政権は長期政権だった。派閥政治の2年限定政権とは違った。そして、派閥政治の時に疎かにしていた政治・経済改革を実現していった。小泉政権、安倍政権と同じように 菅政権も長期政権であってほしかった。

これまでの1年間は安倍政権の引継ぎである。2年目から内閣を菅流に改革して本格的な菅政権の政治が展開すると思っていた。しかし、総裁選に出馬しないで菅政権は1年で終わる。支持率の低い菅首相では衆議院選挙は闘えないからだという。菅氏は運が悪いというしかない。もし、総裁選、衆議院選挙が来年だったら確実に総裁選に勝ち、衆議院選挙にも勝っていただろう。わずか数カ月の違いで菅氏は首相を継続することができなくなった。まあ、これが現実だから仕方がないことだ。望むのは次の首相も小泉・安倍・菅が築いてきた脱派閥政治を継承することだ。

河野氏なら確実に脱派閥政治をやっていくだろう。しかし、他の政治家が脱派閥政治をやるかどうかは不明だ。つまり、どんな政治家か私は分からない。

岸田文雄前政調会長は総裁選に立候補する公約に「しっかりと国民の皆さんの声を聞く」ことを掲げ

ている。だったら岸田首相であったなら東京五輪を中止していたことになる。なぜなら国民の８０％が五輪中止に賛成していたからだ。国民の声を聞くなら五輪は中止することになる。ここが菅首相と岸田氏の違うところである。

日本の政治をどうするかということと　「国民の声を聞く」は本質的に違う。国民は政治の素人である。素人の声を聞くということは政治家としての政策より素人の意見を優先するということである。専門家、マスメディア、医師会も五輪中止を主張した。国民８０％が五輪中止に賛成していた。このような状況になれば「国民の声を聞く」岸田氏なら確実に東京五輪を中止していただろう。しかし、菅首相は五輪を開催した。五輪はコロナ感染を拡大しないで無事終了した。菅首相は五輪がコロナ感染拡大しないことを証明したのである。専門家、マスメディア、医師会の間違いを五輪開催することで証明したのである。コロナ感染という医学の世界でありながら菅首相は感染症専門家の間違いを実証したのだ。

菅首相のバックにはクラスター対策班が存在している。対策班のコロナ対策を信頼していた菅首相だったから専門家の間違った主張と対抗できたのだ。

菅首相は官房長官時代からクラスター対策班によるコロナ対策をみてきたから東京五輪がコロナ感染させないことに確信があった。だから開催したのである。政治家に重要なことは信頼できる専門家を見つけ、その専門家の理論を信じることである。国民の声を聞くことではない。国民以上に国のことを知ることである。

派閥政治時代なら大派閥の二階派、麻生派、細田派が主導権争いをし、派閥のボスが首相、大臣を選んでいただろう。しかし、小泉、安倍、菅の非派閥政治によって派閥政治は弱体化している。派閥のボスが首相を決める時代は終わった。総裁選に立候補するのは自分で立候補することを決めているし岸田氏は派閥のボスではあるが岸田派は大派閥ではない。高市早苗元総務大臣は無派閥である。麻生派の河野氏も立候補しようとしているがボスである麻生氏は反対している。ボスの反対にも関わらず河野氏は立候補する。派閥が支配する時代は終わっている。しかし、まだまだ派閥の力は強い。新総理が派閥の圧力に影響される可能性はまだある。新総理は脱派閥の政治家になってほしい。

9月9日

コロナ感染急減を説明できないアホな専門家たち

6日の全国の新規感染者数が8233人と8月2日以来、およそ1カ月ぶりに1万人を下回り、東京の新規感染者数も968人で7月19日以来、およそ1カ月半ぶりに1000人を下回った。

コロナ感染が急減したのに感染が急減した原因を説明できる専門家は一人もいない。笑ってしまうほどいないのである。専門家からみればこんなに減る理由がないのだ。むしろ専門家からみれば増えることはあっても減るはずはないのだ。お盆や夏休みが終わり、社会活動が再開したから人流は拡大する。人流が拡大すれば感染者は増える。感染者は増えるはずなのに感染者数が減っている。専門家にとって理解できない現象がおきているのだ。感染者数は実態が反映された数字なのか疑問を持っているというのである。

国際医療福祉大学・松本哲哉主任教授は「人流そのものが変わっていないのに、感染者数だけが減るのは矛盾していますので、実態を反映している数なのかどうか」

「ワクチンの効果ももちろんないわけではないが、それだけでこれだけ急速に下がっているとは考えにくい」と述べている。つまり、感染減を説明できないのである。

「人流がお盆以降増えているが出ている人はコロナ対策をして出ている。あるいはワクチン済みの方たちがおそるおそる出てると考えていいんじゃないか」と、人々の行動がコロナ対策をしているからだと〝予想〟をしている。科学的な説明ではない。勝手な〝予想〟である。ほとんどの専門家がそうである。

感染が急減した理由ははっきりしている。緊急事態宣言を発令し、取り締まりを強化したからである。

新型コロナは専門家がいう空気感染ではない。主な感染はクラスターである。クラスター対策班によって作成された緊急事態宣言は過去に4回発令して4回ともコロナ感染を減らしている。5度目の緊急事態宣言がコロナ感染を減らすのは当然のことである。ところが専門家は緊急事態宣言による感染減少を説明できない。彼らが学んだ専門書にはクラスター感染論がないからだ。専門家は大学で感染理論を学生に教え、あらゆる場所で感染論を披露してきた。もし、クラスター感染を認めたら専門家の今まで論じてきた感染論が根底から崩れてしまう。そうなると築いてきた名誉も地位も失われるだろう。専門家は新型コロナの感染がクラスターによって感染拡大することを認めることができない。

押谷教授のクラスター感染論を知って1年半になる。クラスター感染を認める専門家が増えると思っていたが現実は一人もいなかった。だから断言できる。緊急事態宣言によって感染者が急減したことを説明できる専門家は一人もいない。日本はアホな専門家たちで満ち溢れている。

アホな専門家2人

感染症科医局長・佐藤昭裕はコロナ感染減少の要因は、「いろんな理由が絡み合ってると思う」と述べている。彼は感染症の専門家である。感染症は医学であり、医学は科学である。「思う」ではなく「である」で説明するべきである。ところが科学的ではない不確かな「思う」で説明するのである。アホな専門家である。

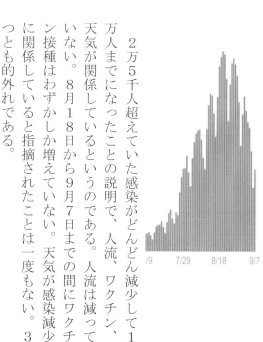

「人流っていうのもポイントだとは思います」「ワクチンの接種率も影響あると思います」「前線が停滞し、梅雨期のように雨が降り続いた気象条件も影響したと思っている」というのである。アホな説明である。

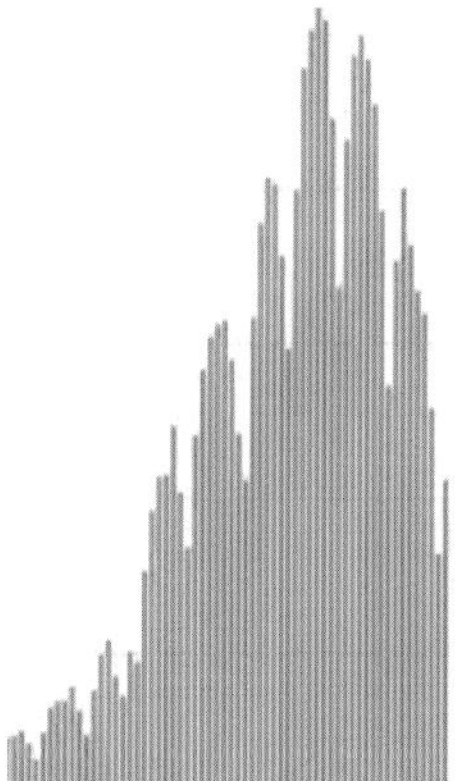

2万5千人超えていた感染がどんどん減少して1万人までになったことの説明で、人流、ワクチン、天気が関係しているというのである。人流は減っていない。8月18日から9月7日までの間にワクチン接種はわずかしか増えていない。天気が感染減少に関係していると指摘されたことは一度もない。3つとも的外れである。

感染減少は緊急事態宣言を発令したからである。過去に4回発令した時も感染減少した。今回も発令したから減少したのだ。発令を解除すると感染は増加する。だから政府は増加させないために緊急事態宣言を9月末まで延長する。もっと感染を減少させるためだ。緊急事態宣言をやったから感染減少したのに専門家はそれを認めないで非科学的な理由をでっちあげてテレビやマスメディアで公表し国民を騙している。それが日本の専門家である。

厚生労働省の助言機関座長の国立感染症研究所長脇田隆字もアホな専門家である。

全国の9月1~7日の新規感染者数は10万人で、1週前の14万人から大幅に減少した理由について、座長の脇田隆字・国立感染症研究所長は、「気温の低下、ワクチン接種が進んできたことなど、複数の要因が考えられる」と述べた。なんと日本感染症学会専門医佐藤と同じアホなことを言ったのである。

アホなことを言わざるを得ない事情が専門家にはある。専門家は、感染減少は緊急事態宣言が原因であるとは口が裂けても言わない。緊急事態宣言が感染減少に効果があることを認めるということは東北大学の押谷教授のクラスター感染理論を認めることになる。押谷教授は空気感染を否定している。

欧州、日本のコロナ感染論は空気感染である。緊急事態宣言による感染減少を認めるということは空気感染を否定することであり自己否定になってしまう。だから、緊急事態宣言を認めることは絶対にできない。しかし、空気感染で国民を納得させる説明もできない。だから、あいまいな複数の要因が考えられると説明逃れをするのである。テレビニュースで国民に向かって。

感染症専門家でありながらコロナ感染対策を練り上げることができない日本の専門家である。彼らは黄熱、デング熱・インフルエンザなどの感染症の専門家ではあるが新型コロナに対しては素人同然である。彼らが厚労省のコロナ対策班になっていたら日本は欧州以上にパンデミックになっていただろう。

厚労省の助言機関や分科会、都道府県の専門家会議を占領しているのが二人のような専門家である。日本の専門家の99．99％は二人と同じ専門家である。最近は小池都知事、菅首相等が「人流」を口にするようになっている。人流は空気感染論の基準になるものであり専門家が感染増減の目安にしているものである。都知事や首相が口にするようになったということは専門家が政府や都のコロナ関係機関を占領するようになったからである。

専門家は政府のコロナ対策の中枢には食い込んでいない。コロナ感染対策を練るのは中枢のクラスター対策班である。専門家はクラスター対策班が根り上げた案を検討する側にいる。幸いなことである。

9月11日

コロナ対策に成功し、東京五輪開催に成功した菅首相を非難する日本は狂っている

感染症学が専門の日本医科大特任教授・北村義浩氏はテレビ朝日系「羽鳥慎一モーニングショー」で、退陣する菅首相のコロナ対策を「ワクチンとか治療薬といった方に重きを置きすぎた。基本は人流を抑えるなど飛沫感染対策をすることが中心にあるべきだと私は思っています」とアホな批判をした。

菅首相は緊急事態宣言を9月末まで延長し、コロナ感染をもっと減少させてからワクチンや治療薬で国民の生活を徐々に自由にする方向にもっていくと説明した。菅首相のコロナ対策は収束に向けた筋の通った説明だった。コロナ感染の増減に関係しない人流抑制や飛沫感染対策なんか不要である。不要なものを中心にあるべきと考えるのがアホな北村教授である。

専門家は人流をコロナ感染の基準にしている。人流が増加すれば感染も増加し、人流が減少すれば感染も減少すると馬鹿の一つ覚えのように専門家は人流を主張する。

沖縄には「リキヤーフリムン」ということわざがある。リキヤーとは頭がよくて、よく勉強する人のことである。フリムンとは馬鹿、阿呆、狂った人のことである。勉強をやりすぎて頭がおかしくなった人を「リキヤーフリムン」という。子供の頃近くにリキヤーフリムンのおじさんがいた。意味不明な言葉をぶつぶつ話していた。彼は有名な大学に行ったがリキヤーフリムンになって帰ってきたと母は話していた。専門家たちの人流人流と主張するのを見ているとリキヤーフリムンを思い出す。

感染症には色んな種類がある。接触感染・飛沫感染・空気感染（飛沫核感染）・経口感染・糞口感染などがある。専門家は多くの感染症について勉強してものすごい量の感染症の種類や病名、感染防止、治療を頭に入れる。固定化された多くの知識が頭の中の棚に区分けされて入った状態だろう。新型コロナに関しては空気感染（飛沫核感染）の引き出しを開ける。引き出しに入っている知識でコロナ感染対応

をするのである。引き出しに入っているコロナ対策はＰＣＲ検査、人流を遮断するためのロックダウンである。

迅速にＰＣＲ検査はできるようになったからＰＣＲ検査を増やせと主張しなくなった。残った空気感染の人流をバカの一つ覚えで主張するのである。学問を丸暗記しただけで学問を現実に生かすことができない人間もリキャーフリムンという。専門書を頭の中の戸棚に入れた日本の感染専門家はみんな新型コロナを戸棚の知識だけで対応している。新型コロナは専門書にはない新しい感染症である。戸棚の知識だけで新型コロナに対応している専門家はみんなリキャーフリムンである。緊急事態宣言の本質を知らないフリムンたちは感染減少しても再び増加するかもしれないと思っている。人流が増減させると思っているから彼らが信じられないくらいに減少が続いていても再び増加に変化するかもしれないと信じているのである。緊急事態宣言を発令し、規制を徹底していれば感染は減少し続ける理論が彼らの引き出しには入っていない。

高齢者へのワクチン接種を優先したので、高齢者のワクチン接種はかなり進んだ。だから。６５歳以上の高齢者の感染が、７～８月は１０万人以上抑制できた。死亡者数は８０００人以上減少させた。菅首相は高齢者８０００人の命を救ったのである。ワクチン接種が感染を減少させ、死者も減少させることは高齢者ワクチン接種ではっきりしている。フリムン専門家はワクチンより人流にこだわる。新型コロナを知らないのに知っていると錯覚しているフリムン専門家である。

フリムンをテレビや本に登場させて国民に向かってフリムニー(アホな話)させているのがマスメディアである。フリムニーを拡散し、菅首相はコロナ対策に失敗したと非難しているのがマスメディアである。マスメディアもフリムンである。

菅首相は濃厚接触者ＰＣＲ検査、感染経路調査、非常事態伊宣言によってコロナ感染拡大を押さえながら、コロナ感染を収束させるためにワクチン接種を進めてきた。菅首相こそがコロナ感染収束へ着実に進めてきた。東京オリパラは開催し成功裏に閉幕した。それなのに専門家、マスメディアが菅首相のコロナ対策は失敗だと宣伝拡大させている。それを信じている国民は多い。フリムンに惑わされている日本は狂っている。

9月12日

菅首相のコロナ対策、ワクチン接種加速で日本のコロナ感染は収束に向かっている

狂っているのは専門家やマスメディアそして国民の観念の世界である。現実ではない。2万人以上に急増していたコロナ感染は緊急事態宣言によって急減している。これからも減少していく。高齢者へのワクチン接種は80%以上になり、高齢者の感染、死者は激減している。これは事実であり現実である。

10日にワクチンの2回目の接種を受けた人の割合が全国民の50%に達した。9月末までには60%に達成する見込みである。

1日100万人ワクチン接種すれば1カ月で3000万人接種するので10月末には3000万人以上が新たに接種し、国民の80%以上が接種する(ワクチン接種率80%を達成したデンマークはヨーロッパの中で唯一、新型コロナの制限措置を完全に解除した)。11月からは緊急事態宣言をしなくても感染者が8月のように急増することはない。80%ワクチン接種が緊急事態宣言以上に感染を押さえる。

政府はワクチン接種の進展に合わせてコロナ対策を進めている。菅政権ではなくても10月からコロナ感染収束に向けた政策は始まるだろう。

ワクチン接種済み、PCR検査での陰性証明所有者には、飲食店での酒類提供や大規模イベントの観客数の制限を緩める。「4人まで」を呼び掛けている会食ルールも緩め5人以上でも会食できるようにする。県境を越えた移動自粛も緩和する。旅行などで割引の適用も想定する等々である。

菅政権の社会・経済活動の再開を目指した緩和策が判明すると早速噛みついたのが専門家とマスメディアである。それも見当はずれの。

全国の1日当たりの新型コロナ陽性者数は8895人。東京都内では自宅療養中の死亡者79人(今年)のうち34人が第5波の8月以降に亡くなる惨状であるのに菅政権から出てくるのは楽観論"ばかりであるとアホな専門家は非難する。楽観論とはワクチン接種やPCR検査、抗原検査による陰性証明を前提とした行動制限の緩和のことを指している。見当はずれである。陽性者や死亡者はコロナ感染し

た人のことである。彼らの問題は治療である。行動制限の緩和とは関係がない。緩和が新たな感染者を増やすか否かは問題である。しかし、専門家が問題にしているのは感染拡大云々ではなく悲惨な状況の最中に緩和することに楽観者と非難しているのである。感染者は医療の問題である。感染の問題ではない。的外れの非難である。アホな専門家は緊急事態宣言が感染者を減らしていることを認めていない。

「今のペースで新規陽性者数が減っていけば、解除基準に達する地域はあるかもしれません。ただ、政府の対策が実を結んで陽性者が減少しているとは考えにくい。地方は収束に向かう可能性がある一方、大都市はリバウンドする恐れがあります。決して楽観できません」

新型コロナを収束させるのはワクチンである。ワクチン接種が行き渡らない限り地方も大都市も収束することはない。緊急事態宣言が発令している地方も大都市もリバウンドはしない。リバウンドするのは緊急事態宣言を解除した時である。だから、9月末までは大都市がリバウンドすることはない。空気感染論だけに固執し、クラスター感染論を理解しない専門家は的外れな思考の専門家である。

東京都内の人出は携帯電話の位置情報のデータで、渋谷駅周辺で14%、銀座駅周辺で30%、秋葉原駅周辺で26%、品川駅周辺で14%、浅草駅周辺で27%増えている。緊急事態宣言が出される前より人流は増えている。専門家の人流論が根本から間違っていることを事実が明らかにしている。

新型コロナは濃厚接触者のPCR検査だけでは感染拡大していく。緊急事態宣言で感染拡大を縮小させることはできるが市民の自由と経済活動が制限されてしまう。自由、経済を優先されれば感染拡大し、感染を押さえれば不自由、経済破綻を招く。ふたつを解決するにはコロナ感染を収束させるしかない。収束させるのが全国民へのワクチン接種である。このことを政府は去年の2月にクラスター対策班を設置した時から明言していた。だから、菅首相はワクチン取得に奔走し、取得したワクチンで一日100万以上接種を目指したのである。その結果9月末には接種60%に達する。

菅政権はコロナ感染終息に向けたスケジュールを作成している。政権が変わってもコロナ感染は10、11、12月と収束に向かう。確実に。

沖縄に内なる民主主義はあるか　１５００円(税抜)

捻じ曲げられた辺野古の真実　１５３０円(税抜き)

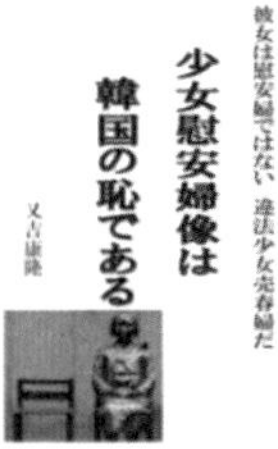

少女慰安婦像は韓国の恥である　１３００円(税抜)

マリーの館　１３８０円(税抜き)

（

バーデスの五日間　上　１３００円(税抜き)

バーデスの五日間　下　１２００円(税抜き)

ジュゴンを食べた話　１５００円(税抜き)

一九七一Mの死　１１００円(税抜き)

台風十八号とミサイル　１４５０円(税抜き)

米兵マンションと墓

手前の黒っぽいブロック造りは墓である。後ろの建物はアメリカ兵に貸しているマンションである。

墓の側には国道５８号線がはしっている。墓は高層マンションと国道に挟まれている

昔は細い道がある原っぱだった。原っぱに墓を建てたのだ。ブロック造りの墓なので戦後につくった墓である。

原っぱを整地して国道をつくり、高層マンションをつくったのである。マンション、国道、店、住宅に囲まれた孤独な墓である。

5月23日

オリンピック中止を策謀する共産党　策謀は確実に失敗する

東京五輪組織委員会が日本看護協会に500人の看護師の「動員」を要請したことに対して、現場の看護師から「五輪より命を」を訴えてネット上での大規模デモが起きたというニュースがあった。

「東京ではまた1日の新規感染者が1000人を超えてしまいました。今後、医療逼迫が起きる可能性は高いでしょう。政府や東京都などが五輪を優先させ、コロナ対策をおろそかにしたことが、この状況を招いたと言えます。現状でも医療現場は切迫しているのに、さらに五輪のために医療従事者に働けというのは通用しない。怒りの声が上がるのは当然でしょう。もはや、五輪開催とコロナ対策は両立し得ません。一刻も早く決断すべきです」

の訴えに一日で20万ツイートを突破したという。

マスメディアは現場の看護師たちの訴えであると述べ、「医療現場にとっては、「中止」こそが最大の支援策だ」と政府を批判している。

マスメディアは、ネットデモをやったのは愛知県の医療関係者が所属する「愛知県医労連」と書いているが、ニュースを見た多くの市民は愛知県医労連を普通の看護師の労働団体であると思うだろう。しかし、そうではない。特殊な団体である。医労連は正式名を日本医療労働組合連合会という。医労連は全国労働組合総連合(全労連)に加盟している。全労連は共産党配下の労働団体である。つまり、医労連は共産党配下の看護師団体であり共産党の政治方針に従う看護師たちの団体であるのだ。共産党配下の医労連は共産党の命令に従ってオリンピック中止運動をやっているのである。共産党は総力を挙げてオリンピック中止運動を展開している。

新型コロナウイルスの感染者が拡大し、大阪で「医療崩壊」が起こる中、東京五輪・パラリンピック大会組織委員会が医療スタッフとして日本看護協会に看護師500人の派遣を要請した。オリンピック中止を主張していた共産党は機関紙・赤旗ですっぱ抜き、「医労連」に派遣反対運動を展開させたのである。

オリンピック中止を国会で口火をきったのは志位委員長であった。2020年1月21日のことである。オリンピック中止を配下の労働団体、学者、マスメディアなどに浸透させていき、オリンピック反対のムードを高めていった。看護師500人の派遣要請に対して医労連が反対し、共産党の思惑通りに医労連に同調するマスメディアや市民が増えた。

共産党がここぞとばかりに仕掛けたのが都知事選にも立候補したことがある弁護士連合会元会長の宇都宮健児氏による東京五輪禁止の署名運動だった。署名運動に全力を注いだのが共産党である。小池晃書記局長ら共産党議員たちが賛同を求めてツイートを拡散した。共産党が総力を挙げて宇都宮氏の五輪反対の署名運動を展開したのは、「2015年の時『戦争法案』への反対を訴えたSEALDs（シールズ）のような大きな波ができた」と共産党は自画自賛している。（SEALDsも共産党配下の若者の団体だった）。共産党の総力を挙げた署名運動によって35万筆を超える署名が集まった。

宇都宮健児氏は東京五輪・パラリンピックの開催中止を求めるインターネット署名を踏まえた要望書を、国際オリンピック委員会（IOC）と国際パラリンピック委員会（IPC）、東京都に提出した。

世論調査では国民の80%がオリンピック中止に賛成し、オリンピック中止が大きなムーブメントになっている。共産党のオリンピック中止運動はマスメディアとの相乗効果で大成功している。ただ共産党と国民にはオリンピック中止の目的に違いがある。

国民は「国民の命を守るために」オリンピック中止に賛成しているが、オリンピック中止運動の先陣にたっている共産党の狙いはオリンピックを中止することにはない。国民やマスメディアの目的と共産党の目的は根本的に違う。共産党の狙いは菅政権をピンチに追い込んで内閣総辞職に追い込むことにある。

国民の大多数がオリンピック中止に賛成しているという理由で菅首相がオリンピック中止に賛成すれば、国民の意見に耳を傾けたと国民は菅首相に拍手するかも知れない。共産党は拍手しない。菅首相がオリピック中止に賛成した瞬間からオリンピック中止はコロナ対策に後手後手であった菅首相の政策失敗であるとオリンピック中止を菅首相の責任にし、非難を展開する。そして、菅内閣の総辞職を要求する。共産党の狙いはオリンピックを中止することでもなければ国民の命を守ることでもない。菅首相を政権の座から引きずり落とすことにある。

共産党の本音を代弁しているのが政治経済学者の植草一秀氏である。植草氏が共産党とイデオロギーが一体である。共産党の代弁者といっても過言ではない。

ASEAN10ヵ国と日、中、韓、オーストラリア、ニュージーランドの15ヵ国による包括的な経済連携協定であるRCEPが4月28日に参院本会議で承認された。RCEPに反対したのが唯一共産党だけであった。共産党を除く野党は立憲民主党を含めて賛成した。共産党と同じようにRCEPに反対したのが植草氏である。反対する理由を「大資本の大資本による大資本のための制度的枠組み」と説明している。それは共産党と全く同じである。植草氏と共産党は一心同体である。

植草氏は共産党がオリンピック中止運動を展開している本音を5月17日のブログで代弁している。題名は「KO寸前菅内閣を確実に終らせる」である。植草氏は安倍内閣は悪行三昧を積み重ねたと批判し、安倍内閣を引き継いだ菅内閣も政策運営が失態続きであると非難する。

菅政権は感染収束が求められているときに感染拡大を推進する政策にまい進した。その結果が第3波と第4波の感染爆発を起こしたというのが植草氏の考えである。菅首相がオリンピックを中止しようが開催しようがコロナ対策に失敗した菅首相は退陣するべきであると主張し、「何としても菅内閣の退場と新政権の樹立を実現しなければならない」と植草氏は述べている。植草氏の目的は菅内閣を打倒することにある。それが共産党の目的である。

菅首相がオリンピック中止に賛成すれば、一気に菅内閣総辞職運動にまい進するのが共産党である。しかし、共産党の思惑は失敗するのが目に見えている。菅首相はオリピック中止に賛成しない。オリンピック開始に向けて邁進する。緊急事態宣言でコロナ感染を押さえ、高齢者へのワクチンの接種でコロナ感染死者を激減させる。国民もオリンピック開催を容認するようになるだろう。

IOC＝国際オリンピック委員会は、選手や関係者など選手団のおよそ7割はワクチンを接種して東京大会に臨めるという見通しも示している。オリンピックで海外からコロナが感染する心配はないし、オ×リンピック関係者がコロナに感染する心配もなくなったのである。

オリンピックは確実に開催され、日本国民を感動させるだろう。共産党のオリンピック中止の策謀は失敗するのは明らかである。

8月23日

共産党五輪中止の統一戦線の戦いは菅首相に敗れた

5月23日のブログで予言した通り菅首相はオリンピックとパラリンピックを開催した。共産党志位委員長は「五輪より命が大切」の立場にたち、「中止の決断を求め続ける」の声明を出し、五輪は感染拡大をすると主張したが、オリパラで感染拡大しないことが証明された。五輪開催とコロナ対策は両立しコロナ感染は拡大しなかった。共産党は菅首相に敗北したのである。

オリンックが終了し、パラリンピック開催の時も共産党は、パラリンピック開催は「国民も、選手も、命を守れない」からパラリンピックは中止し、コロナ対策に集中すべきだと主張した。パラリンピックは開催され、コロナ感染は減少していった。共産党は菅政権に再び敗北した。

共産党は赤旗、配下の看護師団体、医師団体と労働団体を使って「国民の命を守るため五輪中止」の運動を展開した。共産党配下の団体の活動は強力であり、マスコミも巻き込んでいった。立憲民主などの野党にはない運動ができるのが共産党である。統一戦線を強化していって社会主義革命を目指している共産党だからできることである。

オリンピック開催まで共産党の五輪中止は大多数の国民に支持されていた。しかし、五輪開催されることによって嘘がばれた。菅政権には嘘は通用しなかったのである。

立憲民主は絶対に共産党と連立しないことをラサール石井は知らない

枝野代表が「共産党との連立政権は考えられない」と明言したことをラサール石井が批判した。

ラサール石井は共産党との「根本的な違いには目をつぶっていいんです。そんなの後から考えりゃいい。ゴジラが上陸してると思ったらできるでしょう」とコロナ感染拡大を日本の非常事態であるとゴジラに例えた。日本の非常事態に政党の根本的な違いには目をつぶって連立政権を作り、自民党に代わる政権になれと訴えたのである。

ラサール石井は野党共闘して自民党を倒し、対コロナ特化内閣を作るために共産党と共闘しろと言っているが枝野代表は選挙協力はしても共産党との連立政権はつくらない。石井は今は非常時だから国民を救うことだけ考えて共産党と共闘しろというが、共産党の目的は自民党を政権の座から降ろした上で解党することである。

共産党は国会で多数派になり議会制民主主義国家の日本で政治をやるつもりはない。多数派になれば資本主義社会である日本を解体し社会主義国家にするのだ。共産党単独では実現できないことを痛感している共産党は立憲民主党などの野党と連立政権をつくって社会主義国家の実現を目指している。議会制民主主義を肯定し、与党になって首相を目指している枝野代表だから共産党との連立政権をつくることを避けているのである。石井は共産党の本質を知らないから枝野代表に共闘しろというのである。立憲民主が共産党と共闘すればトヨタ労組は立憲民主を支持しないと宣言した。共闘は立憲民主の分裂につながるのだ。石井はそんなことを知らないから共闘しろというのである。共産党のことも知らなければコロナ感染についても知らない石井である。

コロナ感染はゴジラではないし非常事態でもない。9月以降は緊急事態宣言で感染は減る。そして、11月にはワクチン接種が60％以上になり感染者は激減する。医療ひっ迫は解消し、生活は普通に戻る。

感染者が2万人を超えたので非常事態だと騒いでいる石井であるが、共産党、新型コロナに無知だから騒いでいるだけである。

立憲民主党と共産党が選挙共闘をした　いいことである

立憲民主、共産、社民、れいわ新選組の4野党は安全保障関連法の廃止を求めるグループ「市民連合」が仲介する形で次期衆院選の事実上の共通政策を締結した。いいことである。

立民・枝野代表は「首相になってこの国を変えたい」と首相を目指していることを公言している。「首相になる意欲がなければ、野党第一党の党首というしんどい仕事はやらない」と首相になることに全力を注いでいる枝野代表である。首相になるには国会議員の過半数の支持が必要である。野党を結束して過半数を確保することを枝野代表は目指している。自民党と過半数確保の闘いを宣言しているのであり、二大政党を目指しているということだ。日本の政治問題は自民党がずっと与党であり続け、自民党と対等の政党が存在していないことにある。

前の衆議院選では自民党が75．4％（議席占有率）に当たる218議席を獲得した。しかし得票率は48．2％で過半数を確保していない。国民の50％以上は自民党を支持していないのが現実である。国民は自民党以外の政党が政権を握ることも望んでいるのである。野党が共闘して候補者を絞れば野党の議席は増えるだろう。4野党の選挙共闘は自民党から政権を奪うには大きな前進である。しかし、共闘で政権を握ったとしてもバラバラな政党では政治をスムーズに進めることはできない。現実は常に変化し新たな政治課題が次々と起こる。4党の政策が一致しない時はバラバラになり共闘は崩壊する。そうならないためにはひとつの政党にして、自民党のように選挙で代表を選ぶようにしなければならない。選挙共闘は合流へ発展させるべきである。国民民主と維新の会とも合流すれば国民の支持率はあがるだろう。野党連合では駄目だ。

志位委員長は「日米安全保障条約廃棄」など立民との政策の不一致点は新政権に持ち込まないと述べているが不一致点があることが問題である。不一致点は必ず政策の分裂を生む。だから一つの政党にして不一致点は党内で一致させなければならない。枝野代表が首相を目指すなら、志位委員長が政権交代を目指すなら野党の合体しかない。共産党の名を破棄して。立憲共産民主党はどうか。

コンクリートのひび割れた箇所に生えているパパイアである。

築60年以上の外人住宅に住んでいる。あの頃の建築はずさんであり、裏庭は雑草が生えないようにコンクリートを敷いているが、コンクリートの質は悪く、厚さも薄いのであちらこちらがひび割れしている。ひび割れた箇所には雑草が生えている。定期的に除草剤を巻いて雑草を処理しているが、ひび割れが大きい箇所になんと雑草に交じって5、6センチのパパイアの芽が出ていた。雑草を手でむしり取りパパイアを残した。

こんなひび割れにパパイアの芽が出るとは……。パパイアの種はどこからやってきたのだろう。パパイアは雑草のごとくあちらこちらの道路沿いや空き地に生えているが、まさかコンクリートのひび割れに生えてくるとは。。不思議である。

せっかく生えているのでひび割れのパパイアがどのくらい成長していくか見ていくことにする。普通に大きくなるのか、それとも大きくなれないのか。もしかすると盆栽のように小さいままなのかも知れない。いや、私と同じ高さにはなるのかもしれない。分からない。

花は咲くだろうか。実はなるのだろうか。実はどのくらいの大きさになるのだろうか。小さいだろうか。パパイアの成長は早いので一年くらいでは結果は出る。水と肥料を上げながらパパイアの成長を見ていこう。まあ、普通の家ではこんなことは起きないだろうな。オンボロな外人住宅だからだな。

パパイアは順調に成長し、花をつけ、実がなった。ところが冬の寒風の性なのか葉が枯れて落ちた。葉は枯れてすべて落ちたのに、実はまだ落ちない。実は重いから落ちるはずなのに落ちない。落ちないで色が緑からだいぶだいぶ色に変わり熟してきた。完全に熟すまで落ちないのだろうか。

と思っていたら、パパイアの木はまだ枯れていなかった。実の間から小さな葉が出ていた。上のほうは枯れて茶色になっているが実の上から根までは緑色である。パパイアはまだ生きている。

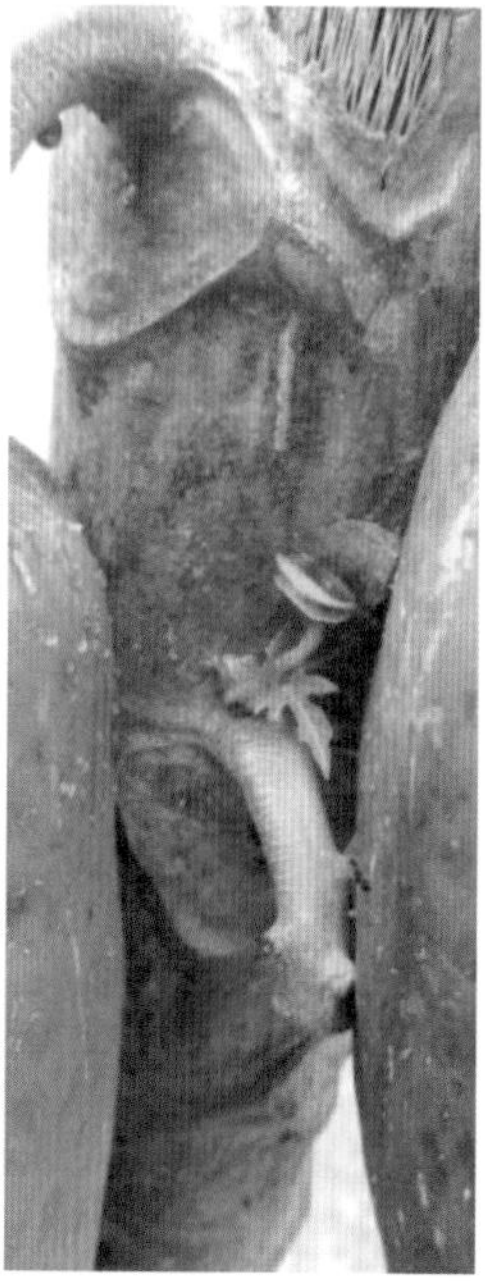

小さな茎からいくつもの葉が出てきて大きくなった。この枝の上の茎は枯れた。枝の下は生きている。死にそうなパパイアに元気な葉を広げるようになったのである。植物の生命力の強さを見た。でも、このパパイアが育っていくかどうかは未知数である。この枝なら暴風に簡単にへし折られるだろう。八重山地方に台風が接近している。もし、ここにやってきたら簡単に枝はへし折られる。パパイアの命は台風がやってくるかこないかで決まる。台風がやって来ないとしても冬になれば北風が吹く。北風に葉が枯れるかもしれない。さあ、どうなることやら。

6月5日

政治家と専門家による「フルオープンでの討論会」だって　橋下さんよ　御冗談を

元大阪府知事、大阪市長で弁護士の橋下徹氏（51）が東京五輪、パラリンピック開催について、政治家と感染症学の研究者による「フルオープンでの討論会」を提案した。

「政治家なんだから、尾身さんの意見には根拠を持って覆していけばいいわけだから。専門家の意見に対して、ちゃんと政治家が乗り越えるような論理を言えないなら、政治家として失格ですよ」が討論会を提案した理由である。橋下氏よ、御冗談を。討論会は確実に平行線になるだけだ。それに討論会では行政を担っている政府となにも担っていない専門家では専門家のほうが有利である。討論会は平行線になって尾身会長に賛同が集まるのは確実だ。政府側の政治家は不利である。

政治問題は討論では決着がつかない。政治問題は討論ではなく政治で決着つけるしかない。それを実証したのが知事、市長時代の橋本氏ではなかったか。

日教組系の教職員は卒業式等で起立を拒否して座り、国歌を歌わなかった。憲法は表現の自由を保障しているといい、表現の自由を根拠にして国歌斉唱を拒否したのだ。教職員と徹底討論しても教職員の主張をひっくり返すことは不可能であった。橋下氏が選択したのは討論ではなく起立、国歌斉唱を義務付ける法律の制定だった。

橋下氏が大阪府知事だった平成２３年６月に、府内公立学校の教職員に、行事の際の国歌の起立斉唱を義務づける全国初の「国旗国歌条例」を施行したのである。橋下氏は大阪市長の時も教職員を説得するのではなく法律を制定した。市立学校の教員に国歌斉唱時の起立斉唱を義務付ける「君が代起立条例案」を、２０１２年２月２９日２８日夜の大阪市議会本会議で一部修正の上、橋下徹市長率いる地域政党「大阪維新の会」と公明、自民の賛成多数で可決、成立させたのである。府知事、市長を体験した橋本氏なら政治家と専門家の討論は平行線になり、なにも解決しないことを知っているはずである。

起立、国歌斉唱を法制化させたのが橋下氏であった。見事に日教組の不起立・国歌不斉唱の運動を打破したのである。卒業式で君が代を起立斉唱しなかったことを理由に減給処分を科したのは違法だとして、大阪府立支援学校の教諭、奥野泰孝さん（５８）が府に処分取り消しなどを求めた訴訟の判決が大阪地裁であり、内藤裕之裁判長は原告の請求を棄却した。裁判では起立・国歌斉唱の法律は憲法違反ではないと判断したのである。見事な日教組の不起立・国歌不斉唱の打破であった。

今の橋下氏は政治家ではない。ジャーナリストである。テレビなどで話すのを職としている。だから討論で決着つけることを提案する。行政を担っている政治家と行政とは距離を置いている専門家とは討論ではなにも決着しないし、進展しない。橋下氏はそのことを忘れてしまったようだ。

橋下氏が気付いていないことがある。尾身会長や分科会の専門家と呼ばれている連中は感染症専門家ではあるが。彼らが専門とするのは過去の感染症であって新型コロナではない。新型コロナは過去の感染症とは性質が違う。新型コロナに無知であるのが尾身会長と分科会の専門家である。橋下氏は尾身会長が新型コロナをよく知っている専門家だと信じているようだが間違っている。尾身会長が専門としているのはペスト、サーズのような感染すれば必ず症状が出て重症になる感染病であって、多くの無症状の感染者が出て、無症状でも感染力は強い新型コロナについては無知である。新型コロナ対策は専門会議ではなくクラスター対策班が担ったことを橋下氏は知らないようである。

新型コロナ対策に取り組んでいる政府と新型コロナに無知な分科会の「専門家」との討論はなんの価値もないし、やるべきではない。それに本当の問題はオリンピックではない。コロナ感染を押さえて収束させることである。

政府はクラスター対策班によるクラスター潰し、緊急事態宣言によるコロナ感染者の減少、そして、高齢者のコロナ感染ゼロを目指した高齢者ワクチン接種を進めている。政府が進めているコロナ対策が成功するか否かを討論していくことが一番重要である。オリンピック云々は大した問題ではない。

橋下氏は「（ＩＯＣ会長の）バッハさんと（同調整委員長）コーツさんだけは入れてほしくない」とヒートアップしたらしいが、まあテレビに出まくっているとこうなっていくのだろうな。

8月4日

東国原英夫氏に反論する

東国原氏は、

「東京五輪、無観客で良かったよな」「これで有観客だったら目も当てられなかっただろう。下手すると感染爆発規模は政権が吹っ飛ぶくらいだったかも」と述べている。東国原氏は間違っている。有観客であっても今の感染と大して違いはなかった。感染爆発は起こっていなかった。

選手は全員陰性であるし、観客とは離れた場所で競技する。選手から感染することはない。感染するとすれば観客の中に感染者が居て、クラスターが発生した時である。しかし、入場する時に体温検査をするし、感染しないように距離を置き、マスクをし、大声を出さないようにする。プロ野球、大相撲、サッカー等は有観客であったがクラスターは発生しなかった。有観客でもコロナ感染しないことは医師会も認めている。

医師会は観客が競技場外で、飲食店やグループで飲食する時にコロナ感染が拡大するという理由で無観客を主張した。専門家である医師会が競技場内でのコロナ感染はないことを認めたのである。東国原氏はこの事実を知っているだろうか。知っていないから有観客だったら政権が吹っ飛ぶくらいにコロナ感染が爆発したと思っているのだろう。東国原氏は新型コロナの感染について知っていない。

医師会は競技場外で感染爆発すると主張したが感染爆発は確実にしない。有観客の宮城県で感染者はいなかった。県外の市民は直帰した。オリンピックを見た市民が宮城県内で飲食店やグループで飲食することはなかった。東京が有観客であっても直帰する市民がほとんどだっただろう。

観客の中には直帰しないで東京で飲食する市民もいるだろう。しかし、少数の市民である。感染爆発させるようような人数ではない。それに観客は全員名前住所が記録されている。感染すれば濃厚接触者や感染経路を調査して感染拡大を防ぐことができる。

非常事態宣言をした都で感染拡大したのは飲食店への規制を緩くしたからである。有観客であったら飲食店への規制を厳しくしていただろうから東京の感染は今より少なかった可能性が高い。感染拡大を押さえるには規制を厳しくする以外にはない。有観客は感染拡大に関係ない。

8月4日

朝日の東京都感染拡大理由のでっち上げ

朝日新聞は、都のコロナ感染が4千人を上回ったのが東京オリンピック開幕の人出が感染者数に反映される時期にあたり、オリンピックが感染拡大に強く影響していると指摘している。今週は五輪開幕から2週目にさしかかり、開幕後の人出の変化が感染者数に反映されてくるとみられると述べ、オリンピックの影響で感染は拡大することを暗示している。

この記事で朝日は都の感染拡大だけを扱っている。全国の感染状況を書いていない。もし東京都だけが感染拡大をしていたらオリンピックによって人出が増えたことが原因であると考えることができるが、感染が全国的に増大していたらオリンピックの影響とは言えなくなる。

事実全国が1万人以上に感染拡大した。過去最大である。東京だけが増大したのではない。それに感染率は東京が一位ではない。沖縄が一位である。今までは東京が一位だったが今回の感染拡大は沖縄の方が高く。感染率は東京より沖縄のほうが高くなり沖縄が一位になったのだ。

沖縄は東京から一番離れている。オリンピックの影響は全然ない。オリンピックが感染拡大に影響しているなら沖縄が感染率一位になることはあり得ないことである。

朝日はリンピックが感染爆発を起こすという理由でオリンピック中止を主張してきた。朝日としては都の感染拡大がオリンピックと関係しているようになんとかして見せなければならないのだ。

朝日の都のコロナ感染に関する記事は事実である。嘘は書いていない。しかし、沖縄や全国の感染状況を書かないであたかも都だけが感染急拡大したように見せているのは客観性が欠落している。嘘に等しい報道である。

マスメディアの五輪中止を求める報道により、国民も五輪中止に賛成した。その影響があってトヨタなど多くの企業がオリンピック開催へのご祝儀的な広告を取りやめた。朝日はじめ大手の新聞社の広告収入が激減したらしい。五輪中止報道は新聞社の収入激減につながったのだ。自業自得だね。

8月6日

田原総一朗を批判する

昔は「朝まで生テレビ！」を毎週見ていた。新聞やテレビニュースでは知ることができない情報が飛び交い、鋭い意見が飛び交っていたのが「朝まで生テレビ！」だった。出演者の主張に賛同するということよりも、彼らによる斬新な情報に興味があって毎週見ていた。

20年ほど前からインターネットが登場し、ネットで情報を得るようになると「朝まで生テレビ！」を見なくなった。「朝まで生テレビ！」が与える情報はネットで得ることができたし、それ以上の情報がネットで得ることができるようになったから「朝まで生テレビ！」を見なくなっていった。

ネットで田原氏の「感染拡大も五輪中止の選択肢はない菅内閣に打つ手なし？」を読んだ。昔なら田原氏の評論を新鮮に感じただろう。しかし、今は違う。新鮮に感じない。むしろ、田原氏の独特の情報は狭くて固定的であるのを感じる。政治問題を扱っているように見えるが、実際は政治の世界からずれていて、見当はずれの意見を述べていることがはっきり分かる。

田原氏は菅首相がオリンピックを開催したのは安倍首相から政権を譲り受けたからだと述べている。安倍首相が首相の座をを譲ってくれたから菅首相は安倍前首相を裏切ることはできない。安倍前首相は去年、東京五輪を1年延期して開催すると決めた。だから、その安倍前首相から政権を譲り受けた菅首相としては、いかに国民の多くが五輪中止を求めても、中止、あるいは再延期という選択肢はなかったのだと田原氏はいうのである。昔のように情報が少なかった頃なら田原氏の述べていることを信じていただろう。しかし、今は違う。ネットで多くの情報を知ることができる。菅氏が首相になった過程の情報は多くある。菅氏が五輪開催を決めた理由の情報も多くある。

安倍前首相がオリンピック開催をすると決めたからというだけで菅首相が開催を決めることはあり得ない。もしオリンピックを開催したために日本がコロナパンデミックに陥ったら菅政権は国民の信頼を失い崩壊してしまう。分科会の尾身会長を筆頭にほとんどの感染専門家はオリンピックを開催すればパンデミックになると予想し、オリンピック開催に反対していた。世論調査では国民の８０％が反対していた。そのような状況で安倍前首相が決めていたからといって開催に踏み切るはずがない。ところが田原氏は菅首相は安倍前首相の意に従ってオリンピックを開催したというのである。安倍前首相はオリンピックを一年延長したし、菅首相は一年後にオリンピックを開催した。しかし、恩義ある安倍前首相が決めたからといってパンデミックになるオリンピックを開催するはずがない。パンデミックが起こるなら安倍前首相も開催しないことに賛成したはずである。パンデミックになるならオリンピックを開催することは絶対にない。ところが田原氏は開催したというのである。菅首相を義理人情のやくざの世界に生きている人物に仕立て上げている田原氏である。菅首相はやくざの世界で生きているのではない。国の政治の世界で生きている。

菅首相はオリンピックを開催した。理由は田原氏のいうような安倍前首相への恩義からではない。オリンピックは世界最高のスポーツイベントであり、世界の国々の人々が開催を望んでいる。できるなら開催するのが日本の首相としての任務である。しかし、オリンピックが日本をパンテミックにするのなら開催は絶対にしない。菅首相がオリンピックを開催したのはオリンピックを開催しても、オリンピックが感染拡大をさせないという科学的な確信があったからである。菅首相の確信は官房長官時代から政府のコロナ対策をつぶさに見てきた体験があったからである。

政府のコロナ対策を徹底してやればオリンピックが感染拡大させることは絶対にないという確信が菅首相にはあった。だから、オリンピック開催に踏み切ったのである。田原氏は政府のコロナ対策について菅首相に自信があったことを理解していなかった。だから、オリンピック開催の原因を義理人情の世界につくり上げたのである。

政府はオリンピック開催において、選手、スタッフの入国を許可したが観客の入国の許可は出さなかった。選手、スタッフだけを入国させたのである。選手、スタッフだけならコロナ対策を徹底して、感染を防ぐことができる。しかし、観客の市民を入国させるとコロナ対策を徹底することができない。外国からの観客を入国させればコロナ感染拡大を防ぐことが不可能である。だから、外国からの観客は入国を禁止した。政府としては有観客でオリンピックを開催したかったが、医師会、専門家などの激しい反対運動に押されて無観客にした。日本国民だけの無観客であったなら感染拡大は起こらなかったはずである。

　菅首相は一年以上も官房長官としてコロナ感染と付き合ってきた。だから日本政府のコロナ対策によってオリンピックがコロナ感染拡大をさせない確信があったから開催したのである。事実、オリンピックによるコロナ感染拡大はなかった。オリンピックは順調に進んでいる。

　田原氏の筋書きは菅内閣の崩壊である。

首相にしてくれた安倍前首相が決めたことを守って菅首相はオリンピックを開催した。そして、コロナ感染拡大をした。東京都のコロナ感染者が５千人を超えれば、菅内閣は崩壊せざるを得なくなると田原氏は断じている。東京の感染者は５千人を超えた。コロナ感染を爆発させた菅内閣は崩壊する運命にあるとする田原氏の描く筋書き通りになって来た。

　田原氏は菅内閣の崩壊の次の展開まで筋書きを描こうとしている。しかし、筋書きを描くことができなくて困っている。田原氏の筋書きでは菅内閣は崩壊するが、崩壊後に菅首相の後継者は見つからない。菅首相の後継者を河野太郎氏と考えていたが、河野氏は菅政権の大臣である。崩壊した政権の大臣が首相にはなれない。それに野党連立政権も考えられない。河野首相と野党連立政権の可能性がないので菅政権崩壊後の政権の筋書きを描くことができないのが田原氏である。菅政権崩壊後の政権はどうなるか。田原氏はそれを最も心配している。

　感染者は激増したが、高齢者のコロナ感染は減っているし、死者も減っている。東京の７月２４日から８月５日までの死者数である。０・０・０・０・６・３・２・３・０・０・７・１・１。感染者が急増したことが問題にされているが死者は平均で2.人で少ない。全国の死者も１０人くらいであり少ない。少なくなったのは菅政権が進めているワクチン接種のお陰である。飲食店への規制が強化され、ワクチン接種を進めていけば感染拡大は抑えられていく。感染爆発は起こらないし菅政権の崩壊はあり得ない。田原氏の心配は見当はずれである。

8月12日

「スポーツには人命を救う力はない」とオリンピックを差別する木村知医師

木村知医師は、日本人選手が金メダルを獲得しても、素晴らしいプレーが感動を与えても、逆境を跳ねのけて出場した選手が希望をもたらしても、これらの事象は、「新型コロナ感染急拡大」を抑止する能力も効果も一切ないと言い、「人命を救うこと」ができないと指摘する。木村医師は「スポーツの力」と呼ばれるものは、「新型コロナ感染急拡大」に関しまったく無力だと断言する。

木村医師の言う通りである。スポーツは新型コロナの感染になにもできない。スポーツが感染病になにもできないのは当然である。感染病に対応できるのはスポーツではなく医学である。

新型コロナ感染の治療をしている木村医師にとって東京オリンピックの熱狂は異次元の世界に見えるという。木村医師は「五輪を楽しむ人たち」にとってコロナは非現実的な異次元の出来事であるという。「患者さんの陽性確認」を今まで経験したことのないハイペースで次から次へと実体験している木村医師は、開会式後から「手のひらを返したように五輪礼賛ムード一色となったテレビ番組」を観るにつけ、まったく異次元の世界に来てしまった感覚に陥ってしまうという。

木村知氏がオリンピックを異次元の世界に感じるのは人間としての木村知ではない。医師としての木村知である。医師の世界に閉じこもっている木村氏だからオリンピックを異次元に感じる。普通の人間としてオリンピック、新型コロナを見るならオリンピックは世界のスポーツ大会であり、新型コロナは世界に広がっている感染症であると二つを並立させて見ることができる。オリンピックがコロナ感染を拡大させているという説とさせていないという二つの説があるのを冷静に見て、どちらの説が正しいかを検討することができる。

8月11日のコロナ感染者は13万6944人である。日本の人口は1億2.千万人である。コロナ感染者は人口の0．01%である。重傷者は1332人である。人口の0．001%である。人口0．0

01%しか居ないコロナ感染重傷者に99，99％の国民が束縛されていいのだろうか。束縛しようとしても束縛されない国民が多くいることを知るべきである。しかし、木村医師はコロナ感染拡大を防ぐために国民はオリンピックやスポーツを楽しむことを断てというのである。医師の横暴である。

オリンピックは面白かった。試合だけでなく選手の成長過程のエピソードもおもしろかった。驚いたことがあった。難民が一つの国と同じように選手団を結成してオリンピックに参加したことだ。難民は紛争が続く国や独裁国家の弾圧を逃れて国を脱出した人たちである。シリア、南スーダン、イラン、アフガニスタンなど11カ国出身の代表から成る難民選手団は、オリンピック発祥の地として毎回最初に入場するギリシャに次いで、二番目に国立競技場に入場した。素晴らしいことである。オリンピックの象徴的な難民選手団の登場である。難民も選手として迎え入れるオリンピックの精神は素晴らしい。

東欧の独裁国家ベラルーシのクリスティナ・ティマノフスカヤ選手はコーチ批判をしたために帰国を命じられたが身の危険を感じポーランドに亡命した。

卓球女子シングルスではルクセンブルクのニー・シャーリエン選手が出場した。彼女は58歳で中国からの移住者である。

ロシアはドーピング違反でオリンピックに参加できなくなったが、ドーピング違反歴のない選手は、国の代表ではなく、あくまでロシア・オリンピック委員会（ROC）の選手団という位置付けで参加することが許された。

国や民族の壁を越えて差別を乗り越えて人間としての平等を目指しているのがオリンピック精神だなと感じた。

沖縄の喜友名諒氏が空手形で金メダルを獲得した。空手形がオリンピック種目になるとは予想していなかった。空手は素手で敵を殺す技である。実は攻撃のほとんどが人間の急所を突くのが空手本来の技である。空手はこぶしより手刀が多い。理由は喉、あばら骨の隙間に突き入れて殺す技を使うからである。空手というのは殺し合いであるから沖縄では空手の試合はなかった。その代わり空手形は各流派によって受け継がれてきた。空手形は沖縄独自に発展したものであると思っていたからまさかオリンピックの種目になるとは思わなかった。今回は日本が主催国だったから空手形が採用された。

若者たちに流行しているスケートボードもオリンピック種目になっている。オリンピックは世界の多くのスポーツを採用していることを強く感じた。国家のエゴ、政治のエゴ、民族のエゴなどを解決する力はないが、オリンピックがそのようなエゴを乗り越えた世界にあることを感じた。


コロナにもオリンピックにも距離を置いている私と違って、毎日コロナ感染者と向き合っているのが木村医師である。だからコロナ感染拡大の危機感が強いのだろう。木村医師は、日本人選手が金メダルを獲得しても、素晴らしいプレーが感動を与えても、逆境を跳ねのけて出場した選手が希望をもたらしても、これらの事象は、「新型コロナ感染急拡大」を抑止する能力も効果も一切ないと考え、スポーツの祭りであるオリンピックは「新型コロナ感染急拡大」に関しまったく無力だと突き放す。木村医師は、「コロナにかかれば五輪のメダルラッシュも役に立たない。コロナにかかれば「胸が熱くなって、選手たちを応援しても何の役にもたたない」と述べている。

しかし、コロナ感染者の多くは軽症か無症状である。重傷者であれば木村医師の言う通りであるが、コロナ感染者の多くはオリンピックを楽しんでいるはずである。医師の奢り、エゴを感じる。


木村医師は首都圏にはオリンピック開催したために外国から10万人の余計な人口増加をもたらしたことを指摘する。これら増えた人たちには、新型コロナ、さらにそれに限定されない「医療需要」が生じると指摘する。「新型コロナ」の拡大で逼迫する医療現場に、さらに余計な負荷をかけているのが東京オリンピックであると木村医師は強調する。五輪開催が「医療提供体制」の足を引っ張り妨害しているとしてオリンピックは新型コロナ感染拡大をもたらしたというのである。それは違う。コロナ感染に関わっている医師であるために客観的な判断力を失っている木村医師である。

コロナ感染が拡大したのは東京だけではない。オリンピックを開催しなかった大阪など全国に感染拡大した。それに感染率が一番高いのは東京ではない。沖縄である。直近1週間の人口10万人当たりの新規感染者は２３３・４７で全国ワーストである。２位が東京であるが１９５・０５であり、沖縄が断トツである。木村医師はこの事実を知っているだろうか。恐らく知らないだろう。知っていればオリンピックが感染拡大させたと主張することはできない。知らないから感染拡大をオリンピックの性にするのである。私は沖縄が感染拡大することを去年の８月から指摘してきた。感染拡大の原因はオリンピック以外にある。沖縄がそれを実証している。

木村医師はオリピック開催に反対していた。オリンピックはパンデミックを起こすと予想していたからだ。ところがパンデミックは起こらなかった。木村医師の予想は外れたのである。開催に反対していた多くの国民がテレビ観戦をした。開会式の平均世帯視聴率は５６・４％と記録的な視聴率で、その後も高視聴率が続いた。オリンピックは中止されないどころか高視聴率を確保したのである。木村医師にとって不都合なことである。木村医師は高視聴率は国民自らの選択とは認めたくなかった。だから、視聴率が高いのはナショナリズムの高揚であり、昔から権力者が求心力を高めるための手段であるという理屈を木村医師は考え出したのである。

オリンピックはコロナ感染拡大させているという理屈からオリンピックは政権維持に利用するためであるという理屈に転換した。菅政権が五輪を強行開催したオリンピックで素晴らしいプレーが与える感動も、逆境を跳ねのけて出場した選手がもたらす希望も、政権維持の道具にされるだけだと主張し、「不純」なオリンピックだと木村医師は非難するのである。オリンピックを「不純」呼ばわりする木村医師である。「不純」呼ばわりは「差別」呼ばわりに発展する。

ＩＯＣバッハ会長らは、「アジア人」を見下し、「日本人」も見下していると木村医師はいう。そして、ＩＯＣが欲しいのは「カネ」だけだといい、日本人ｏｒ日本は彼らの「下僕」扱いされているというのである。木村医師は何様のつもりだ。

ＩＯＣは営利目的の組織ではないし金の亡者でもない。バッハ会長は差別主義者ではない。

木村医師は感染専門家であることだけでオリンピックを侮辱し、ＩＯＣを侮辱し、バッハ会長を侮辱している。コロナ感染を防ぐことさえできない無能な感染専門家が威張っている日本である。

8月28日

アフガニスタンのタリバン支配は仕様がない
沖縄からそのことが分かる

タリバンがアフガニスタンを制圧した。別に驚きはしない。がっかりもしない。当然の成り行きと言えば当然の成り行きだ。

高校生の頃からベトナム戦争が激しくなった。ベトナム戦争は１９７５年に米国の敗北で終わる。米国が統治している沖縄に育った。嘉手納飛行場の近くに住んでいた。ベトナムに爆弾を落とすＢ５２が毎日嘉手納飛行場から飛び立っていた。ベトナム戦争について考える高校時代だった。

他国に攻め入るのはその国を植民地にして政治支配し搾取して富を得るのが目的である。支配するためには独裁政治をやり、反発する勢力を駆逐する一方、すり寄る有力者を取り組む。そのように植民地支配体制を強固にする。米国の統治していた沖縄に住んでいたから米国にはそのような植民地主義がないことを知った。ベトナム戦争で米国が植民地主義の戦略を実施していたらベトナム戦争に勝利して、ベトナムを支配していただろうと思った。

米国は議会制民主主義国家である。民主主義は植民地支配を否定する。米国は南ベトナムを植民地にして搾取する目的はなかった。米国がベトナム戦争をやったのは植民地にする目的ではなく南ベトナムが社会主義に支配されるのを防ぐためだった。アジア大陸のほとんどは社会主義体制であり、社会主義が拡大していた。

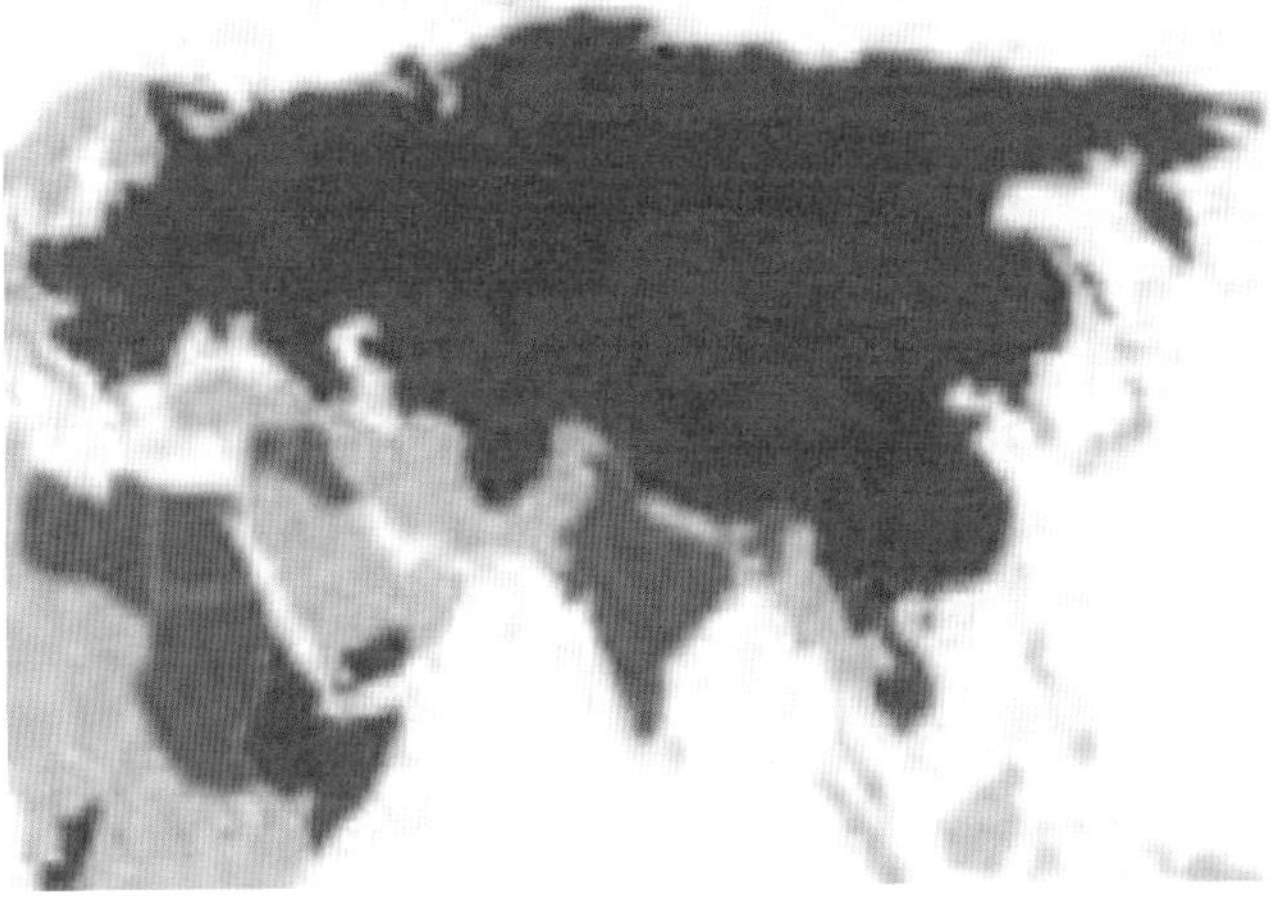

東アジア大陸で社会主義国家でないのは韓国、南ベトナムしかなかった。南ベトナムを社会主義国家にしない目的で米国はベトナム戦争をしたのである。

ベトナム戦争は南ベトナムを社会主義にしようとする南ベトナム解放戦線ベトコンとベトコンを支援している北ベトナムとの戦いであった。

米国は南ベトナムを支配し搾取する目的はなかった。だから、戦争の費用は全て米国民の税金を使った。莫大な税金がベトナム戦争に使われ、そのために米国のドルの価値が落ち、経済にも悪影響した。１９７１年に米国は、固定比率（１オンス＝３５ドル）による米ドル紙幣と金の兌換を一時停止した。ドルの価値は落ち続け，１ドル＝３６０円が３００、２５０円と下がっていき１９７８年には１ドル＝１８２円になった。

米国の国家予算の悪化、経済の悪化を招いたのがベトナム戦争であった。経済危機に陥った米国は１９７３年ベトナムから撤退した。

沖縄は１９７２年に本土復帰した。原因はベトナム戦争による米国政府の財政難だった。日本政府は米国の財政難を補完するために米軍基地の地料や日本人従業員の給料等の基地維持費を補助した。沖縄の本土復帰はベトナム戦争で財政難になった米国を日本政府の財政でカバーするするためであった。

２００１年に米同時多発テロをきっかけに米軍はアフガニスタンのアルカイーダとタリバンを排斥した。米国はアフガンを民主主義国家にすることを目指した。大統領選挙をやり、国会議員選挙をやって議会制民主主義の体制をつくり、タリバンにも選挙への参加を呼び掛けた。

米国がアフガンでやったことは沖縄でやったことと同じである。沖縄に生まれ育ち、政治、文化等を見てきた私はアフガンが米国の狙い通りになるとは思わなかった。民主主義に外から変えることは困難であることを知っていたからだ。

米国は議会制民主主義国家である。大統領の政府が行政をやり、上院下院が法律を制定する。裁判所は法律によって裁く。軍部は大統領の管理下にある。軍部が政治を行うことはない。米国にとって沖縄は米軍基地を配置するための存在である。軍事目的の沖縄だから米軍が統治していたと思うだろうがそれは間違いである。米軍が沖縄を統治していなかった。統治していたのは米国民政府通称米民政府である。米国は軍が政治を行うことはない。軍政府というものはない。沖縄にも軍政府はなかった。

米民政府は沖縄を議会制民主主義社会にしようとした

米民政府は主席、立法議員、裁判を設置して三権分立の沖縄をつくろうとした。しかし、行政の長である主席は一回選挙しただけで、次からは米民政府が任命した。選挙では主席にふさわしいと思われる人物が選ばれなかったからだ。１９５０年沖縄・宮古・八重山で群島知事選挙が行われ、沖縄群島知事に平良辰雄、宮古群島知事に西原雅一、八重山群島知事に安里積千代がなったが、その制度は廃止され。１９５２年に米民政府が琉球政府行政主席を任命し、その後は米民政府の任命制にした。議員は選挙で選ばれ立法院で法律を制定した。米民政府は沖縄をアメリカ的な民主主義社会にしようとしていた。しかし、沖縄の反発が強かった。

沖縄は琉球王国であった。明治政府が武力を使って王国を排して日本の一部である沖縄県にした。戦前の日本は中央政権であり、沖縄の知事は中央政府から派遣され、中央政府の政治に従った。沖縄には選挙で選んだ首長や議員が政治をやるという経験がなかった。議会制民主主義の素地は戦後の沖縄にはなかったのである。

昭和初期から沖縄は貧困時代になり、増え続けてきた人口も６０万人でストップした。戦前の沖縄は６０万人しか生きることができない社会になり、多くの県民は生きるために本土や外国に渡った。そんな沖縄に民主主義が育つのは難しい。そんな沖縄の戦前に育った人たちに民主主義社会を築くのはできるはずがない。そもそも民主主義思想が沖縄にはなかった。戦前になかったのだから戦後にあるはずがない。民主主義には外から知識として入ってくる民主主義と内側から湧いてくる民主主義がある。内から湧いてくる民主主義がなければ本当の民主主義社会にはならない。それが沖縄で如実に表れたのが私が生まれ育った米民政府統治時代である。

沖縄には内から湧いてくる民主主義がなかったことが如実に表れたのがキャラウェイ高等弁務官時代である。

米民政府の高等弁務官で一番嫌われたのがキャラウェイ高等弁務官である。キャラウェイ氏は布令をどんどん出してキャラウェイ旋風を巻き起こし、沖縄を支配した帝王と呼ばれている人物である。１９６１年から１９６４年の３年間高等弁務官であった。高等弁務官に興味がなかった少年の頃の私でさえキャラウェイという名前だけは知っていた。そのくらい悪の高等弁務官として有名だった。彼は保守にも左翼にも嫌われた高等弁務官であった。

彼がなにをやったかは知らなかった。米兵相手のバーをＡサインという許可制にしたのがキャラウェイ氏であるということは人から聞いて知っていた。知っていたのはそれだけで、彼がどのような布令を出したかは知らなかった。ただ、高校生の頃の私は彼が噂されている帝王のような弁務官とは思わなかった。高等弁務官に帝王であるような弁務官が居るはずはないと思っていたからだ。米国はリンカーン大統領の「人民の人民による人民のための政治」が有名であるように民主主義を代表する国であることを学校で習った。映画が好きで米国の映画を何度も見ていたから米国に対しては自由で平等のイメージが強かった。ポール・ニューマンや黒人俳優のシドニー・ポワチェのファンだった。

だから、キャラウェイ氏が帝王と呼ばれるほどに沖縄にひどいことをしたとは思わなかった。しかし、キャラウェイ氏が何をやったかを知らなかった。知りたいという気もなかった。10年ほど前から気になってきたのがキャラウェイ氏が言ったという「沖縄の自治は神話」であった。キャラウェイ氏は「沖縄の自治は神話にすぎない」と公言し、米民政府の法令である布令を多く発動して、琉球政府の権限を制約してきたという。それが沖縄の常識になっている。キャラウェイ氏の弾圧に対して沖縄が民主主義の闘いをしたという。民主主義国家米国に沖縄が民主主義の闘いをしたというのはおかしいと思った。

有難いことにネットのグーグルを利用すればキャラウェイ氏のことも詳しく調べることができるようになった。

キュラウェイ氏がやったことを調べて驚いた。調べていくうちに自由、平等の考えと同時に経済発展を実現していく米国の民主主義を見せつけられた思いがした。

キャラウェイ高等弁務官こそが民主主義者であった

沖縄に嫌われているキャラウェイ氏であるが唯一キャラウェイ氏に感謝し銅像まで建てている島がある。大東島である。

明治時代に八丈島からの開拓団が入植するまでは、大東島全島が無人島であった。南大東島の開拓を始めたのが玉置半右衛門だった。半右衛門は開拓団を募集し、その時に「30箇年の政府貸下げ期間経過後は、各耕作者に開墾した土地の所有権を与える」ことを口約束したといわれ、開拓団の人々はそれを励みに大木生い茂る亜熱帯の原生林を切り拓いていった。しかし、玉置半右衛門の病没後、南大東島が東洋製糖へ譲渡されてしまったことにより、耕作者に土地の所有権が認められない状態が戦後まで続いた。

戦前は大東島の土地はすべて製糖会社が所有していて学校教育や医療、交通制度もすべて製糖会社が運営していた。

1945年（昭和20年）終戦。南大東島も終戦

までは戦争に翻弄され、空襲や激しい艦砲射撃を受けた。製糖工場が焼かれたことと、自給自足が必要となったことで、入植以来行われてきた製糖業も中断せざるをえなかった。

１９４６年（昭和２１年）に米民政府は製糖会社による経営という社会制度を排除し、村制が施行されて「南大東村」が誕生した。これまですべて経営する会社に頼ってきた学校教育や医療、交通制度は政府や村に委ねられることになった。新しい村づくりが始まり、村議会や婦人会、青年会も発足。郵便局や警察署も次々に設置された。南大東島の土地を所有している大日本製糖は本土に引き揚げ、大東糖業社が設立された。

新しい村が作られていく中で、島民の気掛かりは土地のことだった。村制が敷かれたとはいえ、土地は相変わらず大日本製糖の所有だったのだ。

戦前の大東島は企業が島をまるごと所有する状態だったため、通常の行政制度の適用を受けなかった。大東諸島は行政区分としては島尻郡に属していたが、島ごとが社有地であるために、そこに生活する農民や「仲間」は形式上は社有地に仮住まいしているようなものだった。そのため、戸籍人口は一人もいないという特異な状況だった。

米民政府によって会社員から村民となった南大東島の人々は土地の所有権を主張し１９５９（昭和３４）年６月２１日に「土地所有権獲得期成金」を結成し、国、琉球政府、民政府への陳情をくり返し訴えた。島の土地所有権を主張していた大日本製糖と村民は土地の所有権をめぐり裁判で争うことになった。

１９５２年に琉球政府が設立され、行政、立法、司法の三権分立の沖縄になったから、長きにわたり解決しなかったこの土地問題は米民政府ではなく琉球政府の司法にゆだねられた。しかし、５９年から大東島村民の訴えは4年経過しても琉球政府は村民の土地所有権を認めるまではいたらなかった。

１９６１年（昭和３６年）に南大東島の視察に来た時キャラウェイ高等弁務官に、島民達は半右衛門の口約束から始まったこの島の土地問題を直訴した。裁判が続く中で、キャラウェイ高等弁務官は米琉合同土地諮問委員会に調査を命じ、調査の結果、島民に土地の所有を認めた。

1964年（昭和39年）7月30日、キャラウェイ高等弁務官により島民の請求した農地や土地が無償で譲渡されることになった。島民の願いが叶えられたのである。入植から64年、南大東村にとってこの日は歴史的な日になった。歴史的な日の翌々日の1964年8月1日にキャラウェイ氏は第3代琉球列島高等弁務官を退官した。南大東村民の土地の所有権を認めたのがキャラウェイ高等弁務官の最後の仕事になったのである。

61年に大東島の問題を知ったキャラウェイ弁務官は裁判の様子を見守っていただろう。しかし、琉球政府の裁判がもたもたして大東島の島民の立場に立っていないことに失望したキャラウェイ弁務官は退官するぎりぎりになって島民の土地の所有権を獲得させたのである。

このことはあまり知られていない。ネットでキャラウェイ氏のことを調べていくうちに見つけた。

沖縄の金融界は腐敗していた。

そしてその監督業務を履行しない琉球政府および、司法機関に米民政府は警告するが自浄の努力が全く見られなかった。

キャラウェイ高等弁務官が強権を使い、独裁であると言わしめたのが金融界への介入である。金融界に対しては強引に介入している。キャラウェイ氏が保守にも嫌われたのが金融界介入である。米民政府は沖縄経済を発展させるものとして琉球銀行を設立した。復帰前までは琉球銀行は米民政府が所有していた。米民政府の指導で琉球銀行以外にも民間銀行を設立していった。

経済発展に銀行はなくてはならない存在である。戦前の沖縄は企業といえば製糖だけであり、全て本土企業が製糖工場を設立して経営していた。60万人しか住めない沖縄には製糖以外の企業は少なかった。企業資金は銀行ではなく資産家から借りていた。戦後、米民政府が銀行を設立し、経済が発展していったが、経済が発展するに従い金融界は腐敗していった。賄賂が当たり前になっていたのだ。沖縄には地銀二行（琉球銀行含む）、相銀七行、保険会社4行があったが、琉球政府役人と銀行、保険会社との癒着による不正が横行していた。

米民政府は癒着をなくすように琉球政府を指導し

たが聞き入れることはなかった。そのような時期に高等弁務官に就任したのがキャラウェイ氏であった。キャラウェイ氏は金融機関を調査させた。琉球銀行を除く各金融機関の杜撰（ずさん）な経営内容が発覚した、民政府は「厳重警告」を発したが聞き入れなかった。再三にわたって銀行行政の改善を求め、琉球政府に金融監督権や逮捕捜査権を与えても発動することをしなかった。金融機関の腐敗は拡大の一途を辿ることになる。

この状況を見かねた、キャラウェイ氏は金融検査部の独立制をを保つため、人事権を高等弁務官のものとした。沖縄側から見れば沖縄の自治権を奪ったことになる。

民政府は金融検査部長に、当時琉球大学で教鞭をとっていた公認会計士の外間完和を任命し、各金融機関の一斉捜査を開始した。この結果、沖縄銀行の頭取を含む三行の役員数名を背任行為で逮捕した。琉球農林中央金庫などの公的機関を含む、沖縄14金融機関65人を退任させた。外間完和はその当時金融機関からのコーヒー一杯の接待も拒否したという。

琉球政府はその重い腰をあげ、各金融機関に対し綱紀粛正を促す通達を出した。それが「政治献金の全面禁止、および金融機関職員の融資の際の金品の供応等の受領禁止」であった。

米民政府の高等弁務官であるキャラウェイ氏が動くまで琉球政府は今では当たり前で、当時でも当たり前な「政治献金の全面禁止、および金融機関職員の融資の際の金品の供応等の受領禁止」すら警告も出さずにいたし、その不正を見逃し続けてきたのである。

キャラウェイ氏による行政指導はこれにとどまらなかった。自己利権に固執する沖縄財界への啓蒙活動をやり、琉球銀行に対しても総裁以下4名の重役を解任した。役員の高配当を指摘し欧米水準にまで引き下げさせた。

当時沖縄には5つの民間配電会社があり、電気料金をカルテル状態にしていた。キャラウェイ高等弁務官の命令で一律20％電力料金を引き下げさせた。さらに、地元金融界の猛反対を押してアメリカン・エキスプレス、バンク・オブ・アメリカなどの外資系銀行の沖縄支店の開設を認可し、金融機関の自由競争を促し、地元金融機関の閉鎖性を打破した。この結果、沖縄の金融界は正常化し、人事も一挙に若返った。

キャラウェイ氏がやったことは沖縄自身ではできなかった金融の民主化である。もし、沖縄側に民主主義があったなら民政府の指摘で気づき、金融界の民主化を進めていたはずである。しかし、沖縄には民主主義は存在しなかった。琉球王国の流れである特権階級の利権を守ることが当たり前の社会だった。政治・経済の権力者に富が流れるシステムであった。そのシステムを当然と考えていたのである。

琉球政府はキャラウェイ氏の実力行使に仕方なく従っただけであり、キャラウェイ氏の金融界民主化を理解したわけではなかった。

キャラウェイ氏を帝王、独裁者呼ばわりしているのは逆に沖縄側に民主主義思想が欠落している証拠である。

キャラウェイ氏を帝王、独裁者呼ばわりしているのが「沖縄の自治は神話である」と発言したキャラウェイ氏の演説である。私たちが目にすることができるのは題名だけであり、書かれている内容を直接目にすることはできない。

ところがネットで見つけることができた。ネット時代は専門家やマスメディアと同じように情報を得ることができる。そして、マスメディアや専門家のでっち上げを暴くことができる。

「沖縄の自治は神話である」の全文を読んだ。

キャラウェイ弁務官は「沖縄の自治は神話である」の演説で琉球政府、立法院、司法が沖縄住民のためではなく一部の権力者の利権のための政治であることを指摘し批判している。

キャラウェイの琉球政府批判

1、琉球政府は失業保険制度が制定されたとき、その資金の管理者にされたのである。しかし、同資金は琉球政府のものではないのである。その資金は被雇用者や雇用者が納入した者であり、それから利益を受ける労働者に所属するものである。琉球政府は単に、その資金を労働者のために保管しているのに過ぎないのである。しかし、同資金を労働者の利益以外の目的のために流用しようとしたことが、これまでに幾度となくあったのである。同資金の保全にとっての脅威は、やっと最低必要な保護策が立法されるまで続いたのである。

2、琉球政府は、労働争議の一部である小さな暴力になるかもしれない行為と、争議の一部ではなく、実際に刑事上の行為である暴力行為とを区別することをこれまで一貫して拒否してきたのである。政府は労働争議中のすべての行為を、争議の一部とみなす傾向があったのである。この主張は、法律的見地から支持することはできないのである。これは、その平和と安隠を保つため社会に対して責任を持つ当局によって、全社会を相手として犯された欺瞞行為である。そして、これは琉球政府の方で責任を取ることを拒否することになるのである。

3、西原地区における二つの競合する製糖工場の問題は、責任回避の一例である。道をへだてて二つの製糖工場を設立し、同じ農民からサトウキビの奪い合いをさせることに経済的な妥当性がないことは知られていたのである。それにもかかわらず、琉球政府は二つの製糖工場を許可したのである。この措置には、その地域の住民への、ひいては琉球経済全般に対する影響についての考慮がなされていなかったのである。今日、農民も工場側もこの問題および少なくともこれと性質を同じくするもう一つの問題に対して、無謀にも無責任であった琉球政府も、砂糖産業を合理化することを狂気のように試みており、その反面それと同時に他地域からの競争に対処するため、より大型の、したがってさらに小数の製糖工場にする決裁を避けようとしているのである。

4、多年にわたって琉球の銀行は、ほとんど完全な許可証を受けて運営を許されてきたのである。私は自由という言葉よりむしろ許可証という言葉を用いる。というのはここでもまた、私たちは、銀行と政府による信用機関の甚だしい濫用を見出すからである。この分野における不正行為の一例として、理事たちは彼らが経営している営利会社に無担保貸し付けを行うことが認められていたのである。これらの資金は、銀行に彼らの貯金を任せた大小多数の預金者の預金から出たのである。このような行為は他国ではほとんどどこでも重罪となるのである。琉球政府は、これに対して措置を取ることを拒否し、その代り弱々しくもその責任を回避して、米国民政府にそれを転嫁しようとしたのである。

キャラウェイの立法院批判

1．医療法案は病院、診療所および助産院が一般大衆保護のための最低基準に適っているか、いないかを確かめるために必要な年次監査を規定しなかったのである。法律違反に対する刑が専門的水準を維持する上に全く不十分であり、また、不法営業を除去したり、厳重に防止することもできなかったのであろう。

2．立法院は、その労働者災害保障保険法案の草案の中で労働者が被った業務上障害のため、雇用者が当然も持つべき負担額を納税者に負わせるように法案を書き表して、納税者の税金の不当な使用を許可しようとしたのである。

立法院は、行政府と同様、琉球住民の利益のために必要とされているすべての法律を制定する権限を委任されているのである。立法院がそれをなし得なかったことに対して、高等弁務官が立法院に十分な権限を委任しなかったり、その行動に対する責任を与えなかったとして、高等弁務官のせいにして逃れることはできないのである。

司法批判

司法はその義務と責任の性質上、責任を引き受け、それを遂行するのに最も優れた記録を持っているのである。したがって司法府はおそらくもっとも広範囲の責任を持っているのである。しかし、ここにも法律上迅速な裁判をなす場合、それをよほど遅らせたり、法曹人の職業的水準が望まれているよりも低いのを黙認している例があるのである。

「沖縄の自治は神話である」の演説で指摘した問題はキャラウェイ弁務官が初めて指摘していたものではない。以前から米民政府が指摘して沖縄側に正すように忠告していた問題であったが、沖縄側は米民政府の忠告に目を背け正すことはしなかった。しびれを切らした米政府は沖縄の政治を正す目的でキャラウェイ氏を弁務官に任命したようである。それはキャラウェイ氏の履歴を見れば納得できる。

ポール・ワイアット・キャラウェイの履歴

キャラウェイ氏は１９０５年１２月２３日、アーカンソー州ジョーンズボロで父・サディアスと母・

ハッティの間に生まれた。三人兄弟の一人であり、兄弟の名はフォレストとロバートで、後にフォレストはポールと同じくアメリカ陸軍将官となった。
両親はともにアーカンソー州選出のアメリカ合衆国上院議員を務め、母は女性で初めて選挙により選出された上院議員である」。

キャラウェイ氏はジョージタウン大学を卒業し、１９３３年弁護士の資格を取得した。軍を退役した彼は、１９６５年から１９６８年の間アーカンソー州のハーバー・スプリングスで弁護士を開業し、その後ワシントンD・Cのベンジャミン・フランクリン大学で教鞭を執った。彼はメリーランド州で晩年を送ったとされる。

キャラウェイ氏は弁護士であり法律に詳しく、法治主義・民主主義に徹していた人物であったのだ。だから米政府は彼を沖縄の高等弁務官に任命したのである。

「「沖縄の自治は神話である」全文を読んだ私は、６年前の２０１５年０４月２４日「キャラウェイが保守にも革新にも嫌われた理由」をブログに掲載した。

キャラウェイ弁務官の「沖縄の自治は神話」の演説は県民の「自治権拡大」の熱望に冷水を浴びせ、同日夕刊で立法院野党各党は猛反発したと沖縄紙は報道している。革新政治家たちは、

「沖縄が植民地であることを弁務官自身が裏づけた民主主義の否定」（安里積千代社大党委員長）、「弁務官は法なりの独裁支配、植民地支配」（岸本利実社会党政審会長）、「沖縄県民の解放の盛り上がりに弁務官が直接統治による弾圧に出ることを示す」（古堅実吉人民党書記長）人民党＝共産党

と、キャラウェイ弁務官は民主主義を否定し独裁支配、植民地支配をしていると非難した。

彼らの主張する民主主義、自治権とはどんなものであったか。それが分かる二つの事件がある。

ひとつはサンマ裁判であり、もうひとつは教公二法阻止闘争である。

サンマ裁判はキャラウェイ弁務官の時に起こり、教公二法阻止闘争は１９６７年に起こった。キャラウェイ弁務官以後に起こったことであるが、自治権拡大運動が民主主義運動とはかけ離れたものである

ことがはっきりと分かる事件である。

サンマ裁判

日本から切り離された沖縄を米民政府は独立国に近い存在であると考えていた。日本も外国だとしていたから「日本から輸入される鮮魚は『外国製品』だ」ということで布令を出して、２０％もの輸入関税（物品税）をかけた。

ところがサンマは物品税の品目に書かれていなかったが琉球政府は関税を徴収した。関税品目に書かれていないことに気づいたラッパと呼ばれた立法院議員で弁護士の下里恵良が魚業者の玉城ウシを原告に立てて払った関税を戻す裁判をやった。裁判はウシが勝ったがキャラウェイ高等弁務官はサンマが書かれていなかったとしても関税の対象であり関税を徴収するのは当然であると、徴収したお金を返済する必要はないとした。布令にサンマを書き加え、琉球政府が支払うことを禁じた。そのお金は琉球政府の収入であって米民政府の収入にはならない。

サンマ裁判問題を革新側から見た文章を紹介する。

アメリカ高等弁務官のなした裁判移送命令の撤回に関する件（第五決議）沖縄のアメリカ高等弁務官が、琉球上訴裁判所に繋属中に友利隆彪から提訴された当選無効事件並びにサンマ事件と呼ばれる物品税加納金還付請求事件を、アメリカ民政府裁判所へ移送せよ、と命じたのは、沖縄県民の司法自治を否定し、且つ、基本的人権を奪うものである。

日本の代表的な大衆魚といえば､やっぱりサンマ。漢字で「秋刀魚」と書くように、秋ともなれば安くてうまいサンマを食べたくなるものですが、そうは問屋が卸さない・・・いや問屋も怒りを爆発させたのが飛び地の現実、異民族支配というもの。

脂がのった美味しいサンマが獲れるのは北日本の沿岸だ。そこで沖縄では本土から運ばれたサンマを売っているのだが、沖縄がアメリカに統治されていた頃、つまりアメリカの飛び地みたいだった時代、アメリカは｢日本から輸入される鮮魚は『外国製品』だ」ということで布令を出し、２０％もの輸入関税（物品税）をかけてしまった。

アメリカ統治時代の沖縄で、植民地で言えば総督に当たる最高権力者が高等弁務官で、総督府に相当する政府が米国民政府。さらにその下で沖縄住民による自治政府のような存在だったのが琉球政府で、そのトップは主席であった。

沖縄の自治権の拡大を望む者たちには沖縄の司法権や自治権の侵害、さらには沖縄住民の基本的人権に対する侵害だと考えたのである。

サンマ事件の根本的な問題は物品税である。「アメリカの都合で沖縄を占領し続けておいて、サンマのような庶民の魚にまで輸入関税をかけるとはヒドイ話だ」と輸入関税をかけるのはアメリカの都合でありサンマを安く食べられないのはひどいことだと非難している。しかし、物品税は米民政府ではなく琉球政府の収入になる。アメリカが金銭的に得することではない。

なぜ米民政府は物品税をかけたか。理由は琉球の産業を保護するためであった。外国からの安い輸入品が琉球列島に出回ると島内で生産した物が売れなくなる。島内企業は破産してしまう。だから、島内産業を保護するためには物品税が必要だったのである。独立した国家が自国の産業を保護するために輸入品に関税をかけるのは常識である。

ところが琉球政府時代の沖縄では関税をかけるのは常識ではなかった。

沖縄が求めている自治権拡大は民主主義社会を目指したものではなかった。琉球のことは琉球が決めるという独立主義だったのである。独立と民主主義は違う。独立国には軍事独裁国家があるし、中国のような共産党独裁国家もある。

自治権拡大＝民主主義と勘違いしていたのが沖縄の政治家、運動家、識者であった。

サンマ裁判は１９６６年１２月に米国民裁判所で判決が下された。

アメリカ人の裁判官は、サンマに対する課税は「物品税の課税項目は一例を挙げたものに過ぎず、『サンマ』という項目がなくても課税は有効」だと払い戻し請求を退けた。

「そもそもアメリカ側が出した物品税の布令の中には『サンマ』という項目がなかった」からサンマに物品税をかけるなという考えは物品税を理解していない証拠である。

物品税は琉球列島の産業を保護するのが目的である。本土から安い商品が流入すれば琉球の産業のほとんどは廃業に追い込まれるだろうし、新しい産業も生まれない。事実復帰した後は物品税がなくなり本土の安い商品が出回り、沖縄の製造業の多くはつぶれた。

味噌醤油会社赤マルソウの創立に尽力したのが米民政府職員のサムエル・C・オグレスビー氏であった。赤マルソウ創立のために彼はボイラー、発電機、ポンプなどを米軍から払い下げるのに尽力した。

1951年に本土と自由貿易が始まった時、本土からの大量輸入で味噌醤油産業が大ピンチになった。そのピンチを救うために米民政府は1953年に「醤油の輸入全面禁止措置」の布令を出した。琉球の産業育成に心血を注いだことが理解できよう。自由貿易をモットーにしている米民政府だから輸入禁止は一時的であった。しかし、物品税を高くすることで沖縄の味噌醤油産業を保護した。

物品税は琉球の産業を保護育成するために必要だった。物品税は輸入品すべてに平等に適用するのが基本である。もし、物品税をかける品目とかけない品目を琉球政府の判断でやるようになれば不徳な輸入業者が政治家に賄賂を贈って物品税を免除する工作をしただろう。

民主主義国家であるなら物品税をすべての輸入品にかけるのを基本とするのは当然のことである。そのことさえ沖縄の政治家も裁判官も知らなかったのである。当時の沖縄は民主主義も本当の自治も知らなかったのである。

米国は米民政府を通じて沖縄の政治経済を民主化していった。米民政府が民主化したのは政治経済のシステムであった。しかし、米民政府は沖縄の民主主義を内から改革するのはできなかった。外から民主主義化するのは形式であり、内側まで民主化することはできない。

沖縄が現在も民主主義ではないことを実証しているのが映画「サンマデモクラシー」である。製作したのは沖縄テレビである。政治、経済、文化などの情報、主張で沖縄の民主主義をリードする立場にあるのが情報産業であるはずであるが・・・。民主主義の先端をいっていると自負しているから「デモクラシー」をタイトルに使用したのだろう。

輸入する魚に関税をかけたのは沖縄の漁師の収入

を守るためであった。だからサンマに他の魚と同じように税金をかけるのは当然である。ところが沖縄テレビはそのことを理解できないのだ。理解できないからサンマ裁判を独裁者キャラウェイと闘ったデモクラシーと思っているのである。戦後の沖縄を米国が統治し、１９７２年からは日本国家の地方自治体となったから民主主義システム・・・外なる民主主義は発展してきたが、内なる民主主義はまだまだである。

米国の外からの民主主義改革は成功しない

米国がアフガニスタンを制圧した後にアフガンを民主化する方法として日本をモデルにするといった。日本のように選挙制度による議会制民主主義国家体制のアフガンをつくれば日本のように民主主義国家になると予想したのである。沖縄に生まれ育った私は米国の方法はうまくいかないと思った。

日本は明治に自由民権運動が始まり、民主主義は次第に浸透していった。大正になると政党政治も発展し、選挙で選ばれた原敬が首相になった。５・１５事件で犬養毅首相が軍部に暗殺されて軍部が政権を握るようになったが、日本の民主主義は明治時代から徐々に発展していた。戦後に議会制民主主義国家になるが、日本には民主主義の土台があったから民主主義が発展したのである。しかし、アフガンには日本のような民主主義の土台がない。土台がなければ民主主義は築かれない。沖縄に育った私はそう思っていた。

米国はアフガンに選挙制度を導入し、大統領や議員を占拠で選出するようにした。選挙制度は米国がアフガンに強制したことであってアフガンの民主主義運動によって実現したものではない。大統領、議員になった連中は沖縄と同じように、国を自由・平等の社会にし、国の政治・経済を発展させていくことには興味がない。民主主義政治を行うことより地位を利用して自分の富をむさぼることを優先する連中が多い。

男女平等、女性の教育、働く権利は米国が与えたのであってアフガンの民主主義が勝ち取ったものではない。女性は働けるようになり、外国企業も進出して経済も発展していったがアフガンの民主主義体制は内から強化してはいなかった。

タリバンが攻めてきたとき、アメリカの優れた武器を持ちながらアフガン兵士は闘わないで逃げた。武器を放棄して。軍隊が武器を放棄して逃げた原因は大統領や閣僚にある。大統領や閣僚、議員はアフガンの民主主義を守り発展させていく気がなくて自分の富を増やすことに執心していたからだ。軍隊を強くするか否かは大統領や閣僚に責任がある。彼らには国を守るために軍隊を強化する気はなく、賄賂に明け暮れ、軍部も賄賂が横行していた。だから、兵士には国を守る気はなくタリバンが攻撃する前に武器を放棄して逃げた。

アフガンの崩壊は米国式の議会制民主主義国家つくりの結果である。外からの民主主義体制の強制だけでは内からの民主主義は形成されない。それが沖縄であったし、今のアフガンである。

ガニ大統領は国外逃亡したがタリバンが権力を掌握した後、「何があってもタリバンには服従しない」とツイートしたサーレ副大統領は政権の崩壊を認めず、「暫定大統領」になることを宣言した。ザーレ氏は全国で唯一、タリバンに制圧されていない北東部パンジシール州に移動した。数千人の兵士も全国から同州に逃げてきたという。

タリバン支配を恐れ国外脱出する人々にアフガンの民主化は期待できない。ザーレ氏のように国内に残りタリバンと闘う決意をしているアフガンの人たちが立ち上がればアフガンの民主化の可能性が生まれる。女性は学ぶ自由、働く自由を体験した。タリバンが支配していたアフガンより経済は発展し生活は豊かになった。

民主主義を求める国民も多いだろう。ザーレ氏を中心に反タリバン勢力が拡大していく可能性がある。

米国式の外からの民主主義体制つくりは失敗する運命にある。内からの民主主義でなければ本当の民主主義体制は築けないことが真実であることはアフガンではっきりした。

アートハイク

ヒジャイ　マチュー

この道路を港町通りという。でもここが港町というには？である。港はかなり離れた所にあるからだ。港は比謝川河口にあり崖に囲まれていて周囲には店も住居もない。港だけがある。港からかなり離れているがここが一番近い住宅街で道路が港に通じているから港町通りと呼んだのだろうか。

　子供の頃は野原でありすすきやがじゅまるが生えていた。家は一軒もなかった。嘉手納町にはアメリカ兵相手のバー街はあったが町民相手のバー街はなかった。１９６０年代には嘉手納町の人口は増え、経済も発展していった。そんな時に登場したのが港町通りに町民相手のスナック街である。最初からスナックなどの飲食街にする目的でテナントビルはつくられ、二階にもスナックがあった。あの頃のスナックはほとんどが一階にあった。とても華やかなスナック街になった。

　同期生の女性がスナックをやっているというので友人連れてこられた。１９７０年の頃だった。栄えていた港町であるが今はスナックは半減した。廃れているスナック街である。これがスナック街の歴史的な運命なのだろう。

　スナックは私たちが若い頃は若者たちの通う飲み屋として登場し、中年になる中年の心の安らぐ飲み屋になり、高齢になると高齢者でも楽しめる飲み屋になった。戦後間もない頃に生まれた私たちの人生と歩んできたのがスナックである。

ネオン消え
行き場がないよ
コロナめが

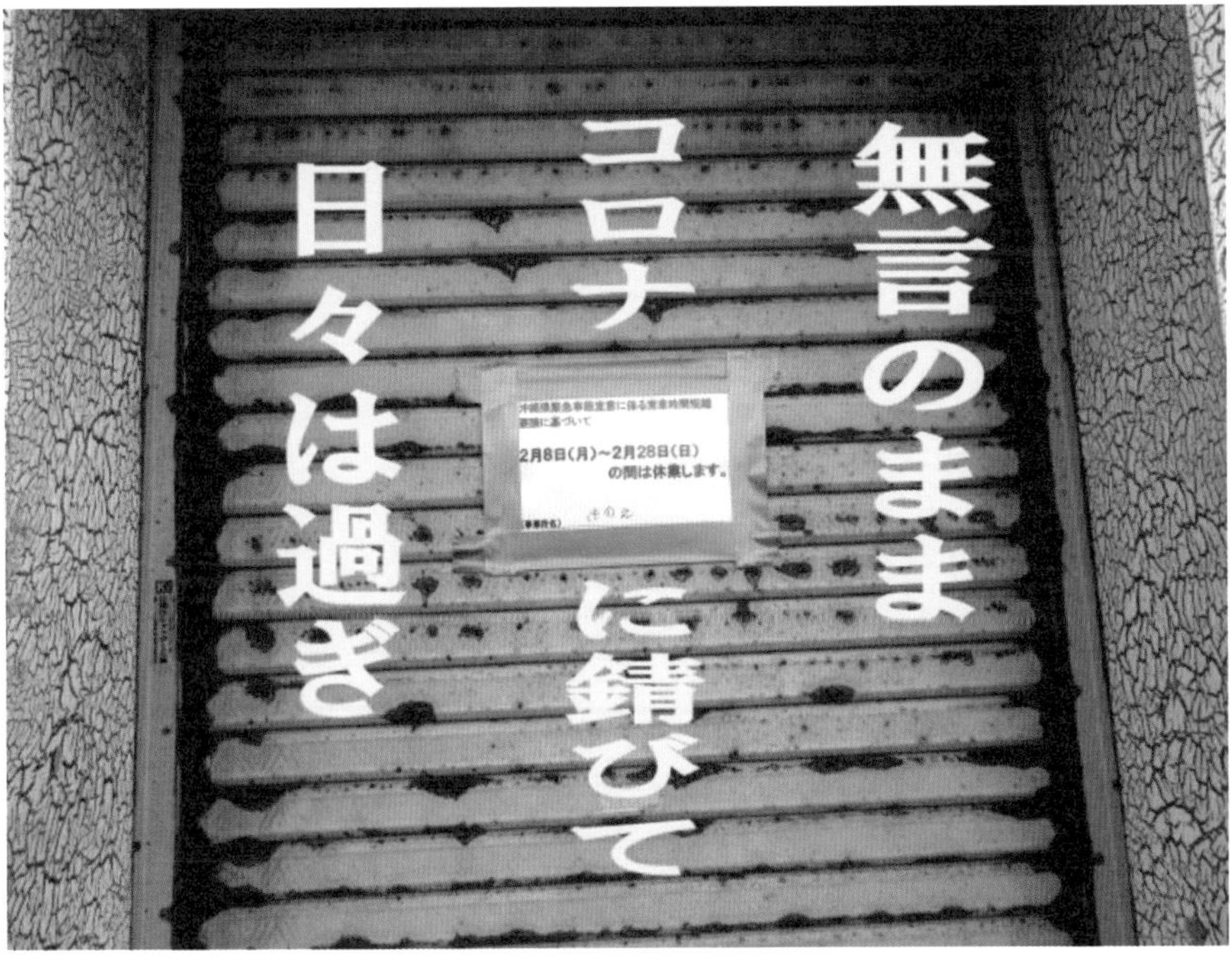
無言のまま
コロナに錆びて
日々は過ぎ
2月8日(月)～2月28日(日)
の間は休業します。

寂れていくスナック街。高齢者が経営するスナック。コロナで長い長い閉店が続いている。店が開けるようになってもこのまま閉まった店もあるだろう。再びシャッターが開くスナックは何件だろうか。

閉じたスナック

港町通りスナックにはこのようにシダが壁一目を覆っているスナックがある。クーラーもシダが覆っている。閉まっているのは確実である。ただ、隣には夜はネオンが灯るスナックがある。閉まっている

としてもシダが生え放題というのはおかしい。スナックに来るのは夜であるからこんなにシダが生えているのにきづいたのは最近である。

昼に来た。驚いた。なんとそのスナックだけでなく二階に上る階段にもシダが生えているのだ。

階段を見上げるとスナックのネオンが見えた。二階には今も経営しているスナックがあるのだろうか。興味が湧いたので二階に上った。

二階の壁や階段にもシダが生え放題である。どうやらスナックは営業していないようだ。

切られた枝から葉が生え、夏の太陽によろこびにはじける木。切られた葉から葉は生えないで枯れていく木が並んでいる。

まぶしさに
よろろよたよた
狭心症

ハブだとよ
フフンで通る
今日明日
ハフに
注意

100円 つい買ってしまう貧乏症

小さな缶コーヒーではなくボトルコーヒーがたった100円である。とても得した気分になるのでつい買ってしまう。貧乏症だなあと思う。貧乏症をささやかに楽しんでいるということかな。

春に咲き
疲れて夏に
枯れてゆく

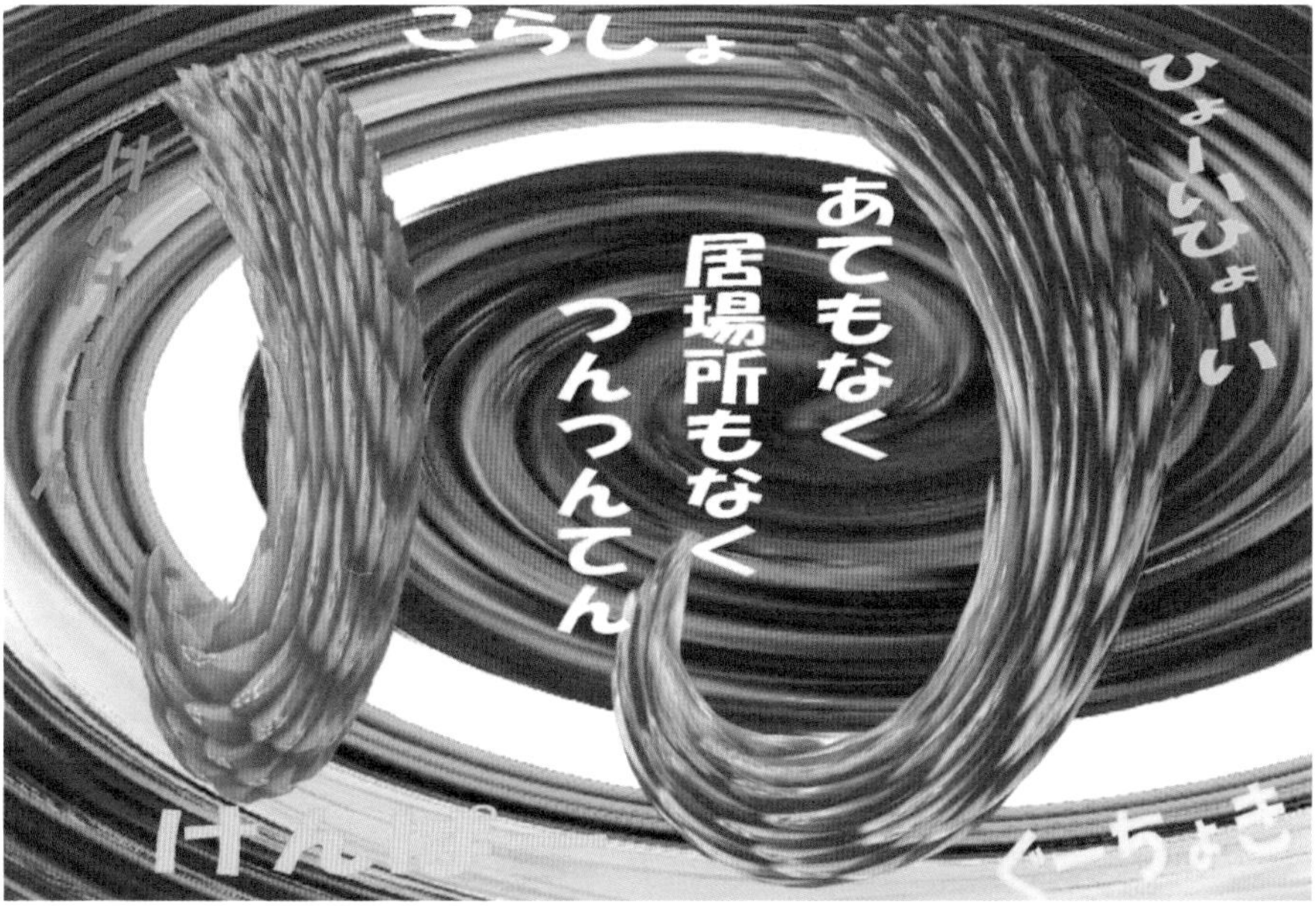
ひょーいひょーい
あてもなく
居場所もなく
つんつんてん
こらしょ

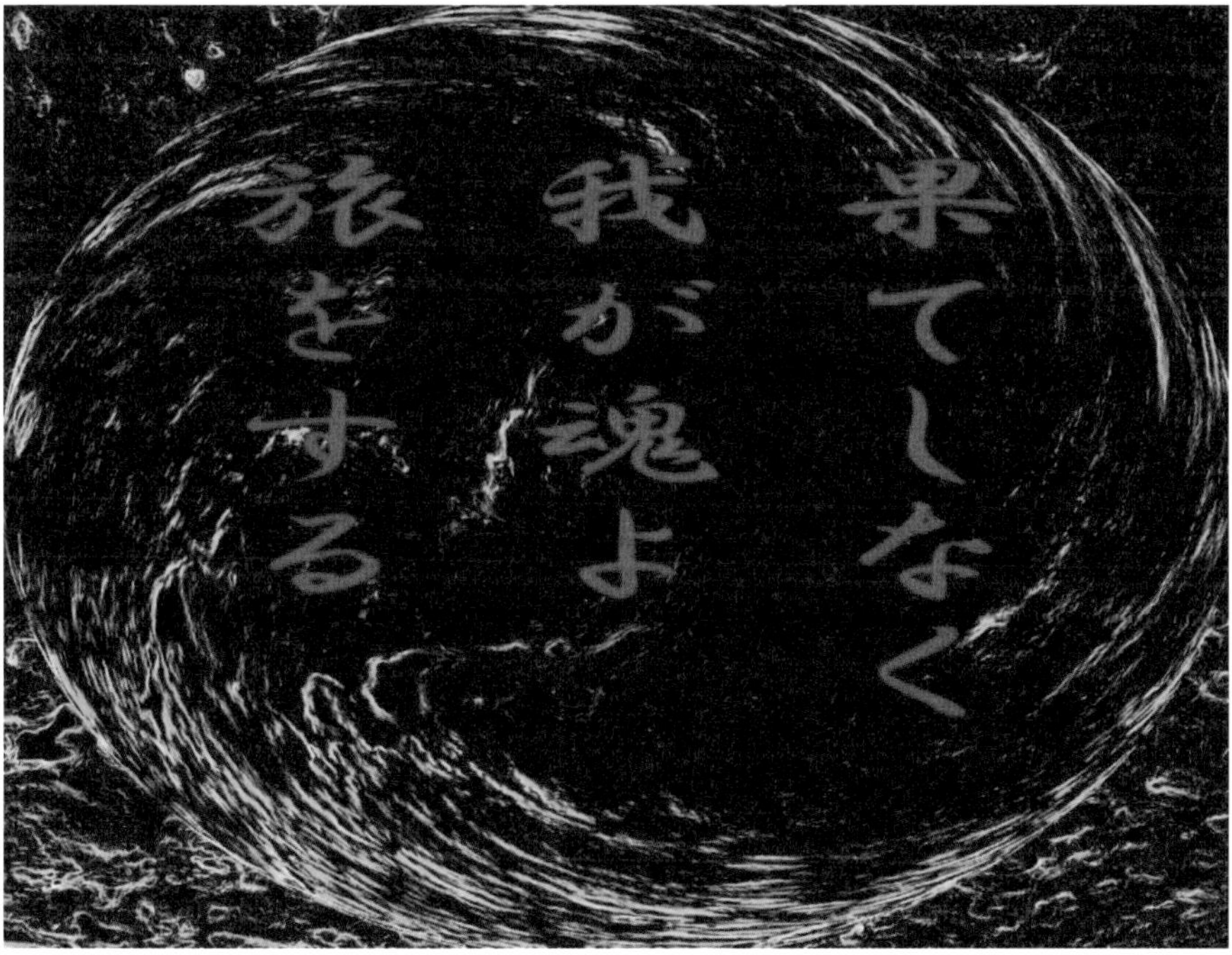
果てしなく
我が魂よ
旅をする

なにくそと
生きる命の
たくましさ

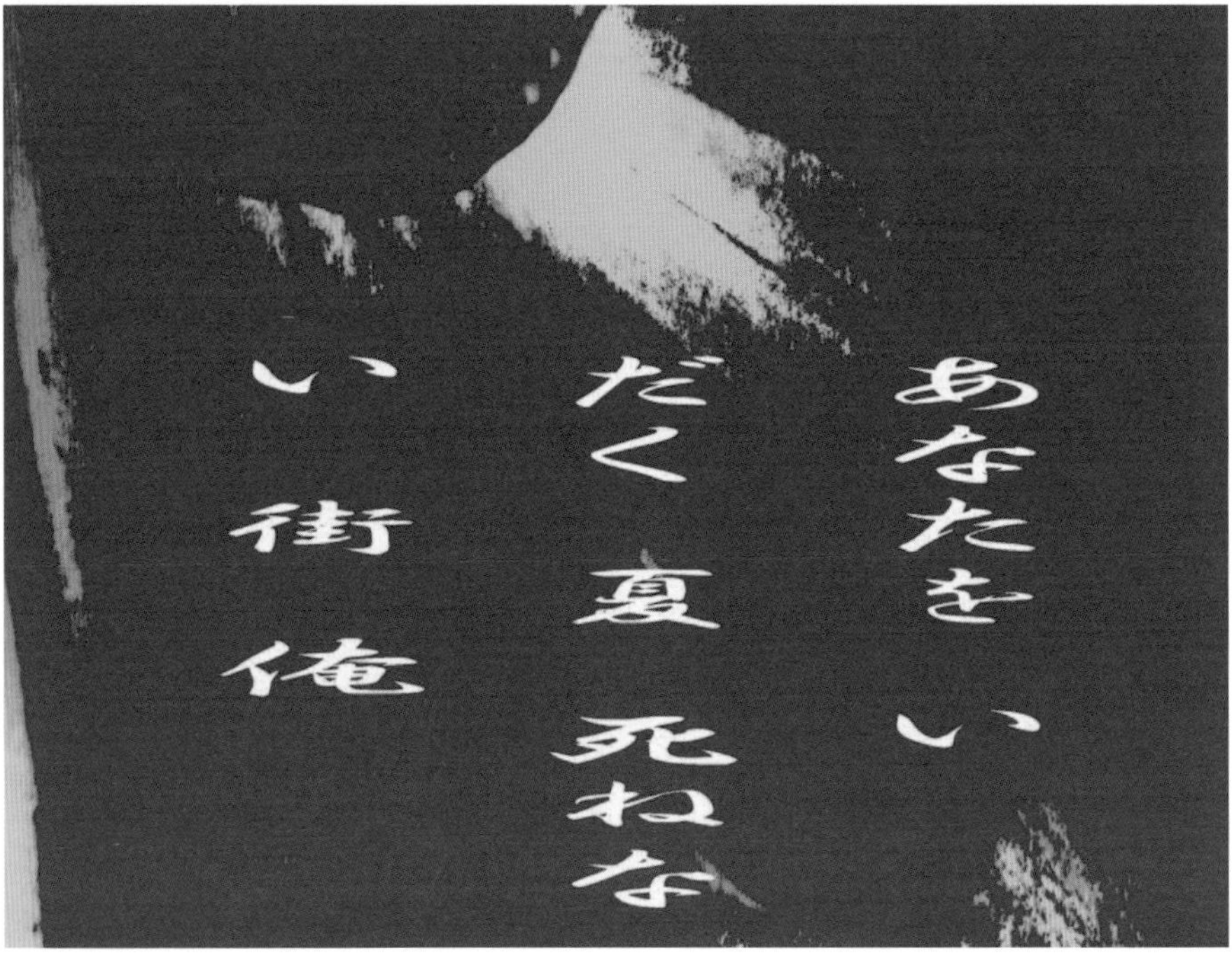
あなたをい
だく夏　死ねな
い街　俺

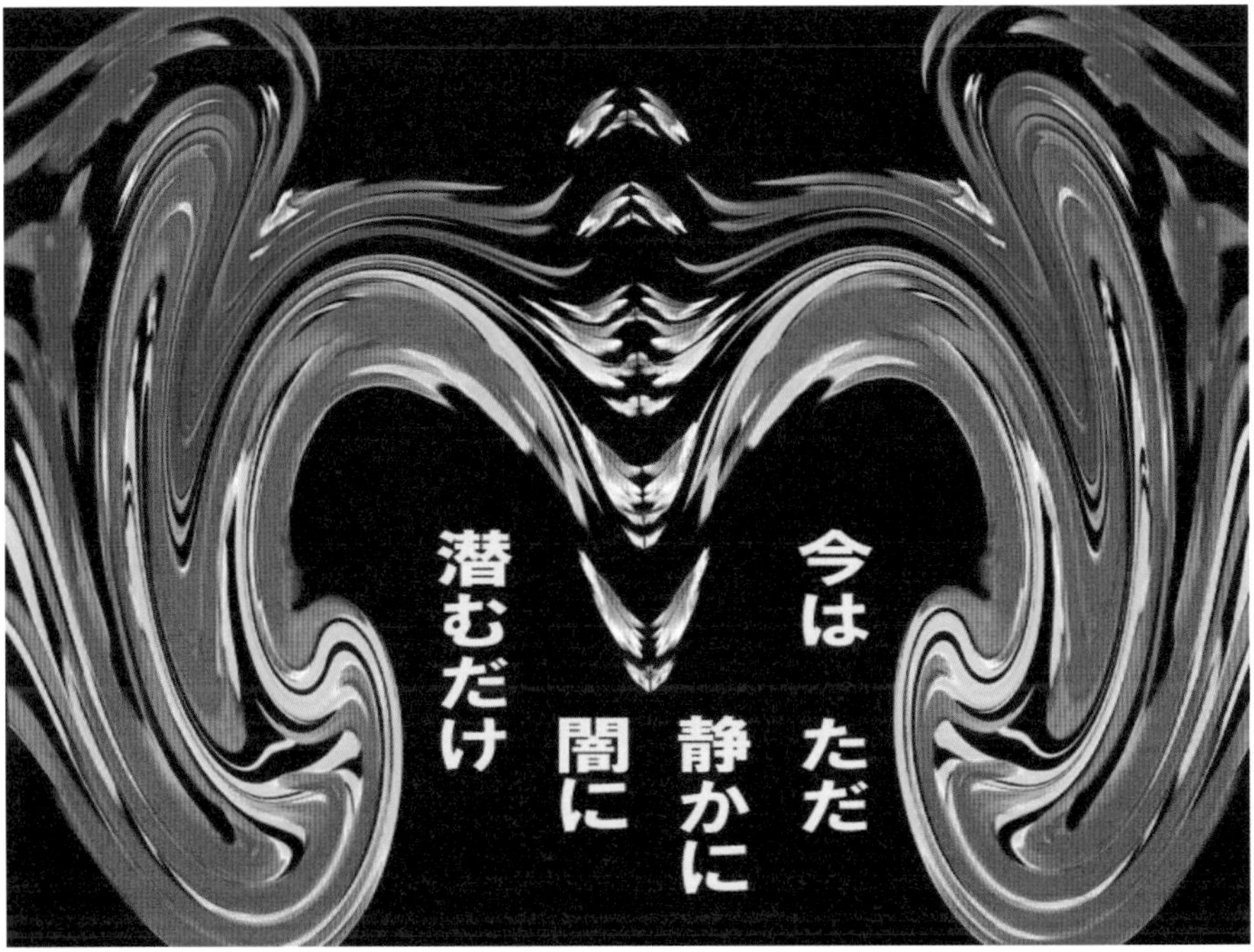
今は　ただ
静かに
闇に
潜むだけ

寝静まる
深き闇夜に
半の月

農民の血を凍らせる細ききび

枯れ枝の
遥か彼方の
青い空

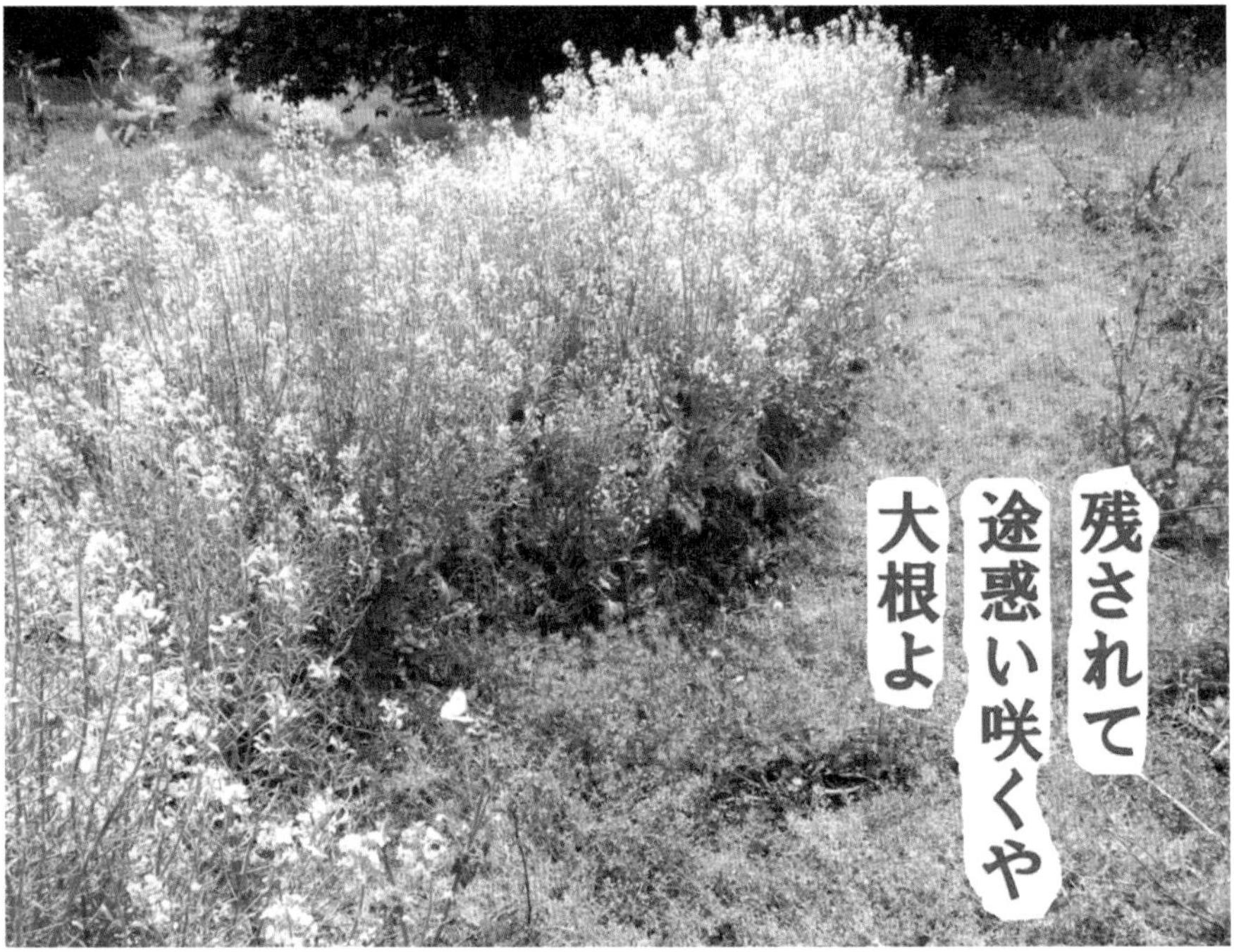
残されて
途惑い咲くや
大根よ

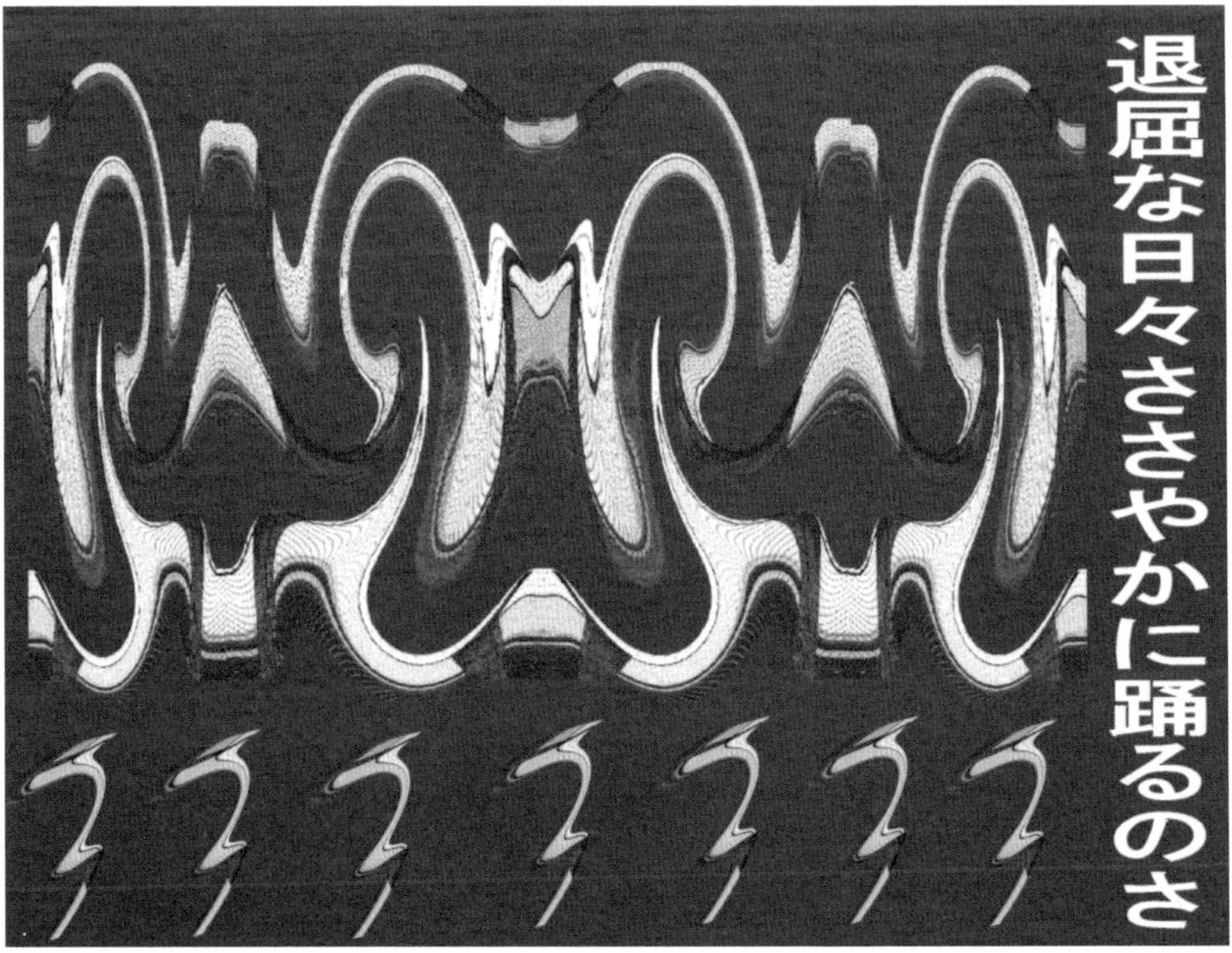
退屈な日々ささやかに踊るのさ

２０２１年１月発行
沖縄　日本　アジア　世界　内なる民主主義２５
定価１２９５円(消費税抜き)

編集・発行者　又吉康隆
発行所　ヒジャイ出版
〒　９０４-０３１３
沖縄県中頭郡読谷村字大湾７７２―３
電話　０９８―９５６―１３２０
印刷所　印刷通販プリントパック
ISBN978 - 4 - 905100 - 40 - 9
C0036

著作　又吉康隆
１９４８年４月２日生まれ。沖縄県読谷村出身。

小説
マリーの館　１３８０円(税抜き)
一九七一Ｍの死１１００円(税抜き)
ジュゴンを　食べた話　１５００円(税抜き)
バーデスの五日間
上巻１３００円(税抜)下巻１２００円(税抜)
おっかあを殺したのは俺じゃねえ１３５０円(税抜)台風十八号とミサイル　１４５０円(税抜き)

評論
沖縄に内なる民主主義はあるか　１５００円(税抜)
少女慰安婦像は韓国の恥である　１３００円(税抜)
捻じ曲げられた辺野古の真実　１５３０円(税抜き)
沖縄革新に未来はあるか　１３００円(税抜あなたたち沖縄をもてあそぶなよ　１３５０円(税抜き)

県内取次店
沖縄教販
ＴＥＬ　０９８-８６８-４１７０
ＦＡＸ　０９８-８６１-５４９９
本土取次店
(株)地方小出版流通センター
ＴＥＬ　０３‐３２６０‐０３５５
ＦＡＸ　０３‐３２３５‐６１８２